光文社文庫

文庫オリジナル／長編青春ミステリー

利《り》休鼠《きゅうねずみ》のララバイ

赤川次郎

『利休鼠のララバイ』目　次

●主な登場人物のプロフィルと、これまでの歩み

第一作『若草色のポシェット』以来、登場人物たちは一年一作の刊行ペースと同じく、一年ずつリアルタイムで年齢を重ねてきました。

杉原爽香《すぎはらさやか》……大学を五年前に卒業した二十八歳。誕生日は、五月九日。名前の通り爽《さわ》やかで思いやりがあり、正義感の強い性格。中学三年生、十五歳のとき、同級生が殺される事件に巻き込まれて以来、様々な事件に遭遇《そうぐう》する。大学を卒業して半年後の秋、殺人事件の容疑者として追われていた元BF《ボーイフレンド》・明男を無実と信じてかくまうが、真犯人であることを知り、自首させる。爽香はこの事件を通して、今もなお明男を愛していることに気付く。昨年、明男と結婚。現在、高齢者用ケア付きマンション〈Pハウス〉に勤めている。

杉原明男《あきお》……中学、高校、大学を通じての爽香の同級生。旧姓・丹羽。優しいが、優柔不断なところも。大学進学後、爽香と別れ、刈谷祐子と付き合っていたが、大学教授夫人・中丸真理子《なかまるまりこ》の強引な誘いに負けてしまう。祐子を失ったうえに、就職にも失敗。真理子を殺した罪で服役していたが、三年前に仮釈放された。現在は爽香と結婚し、N運送に勤めている。

河村布子《かわむらきぬこ》……爽香たちの中学時代の担任。旧姓・安西《あんざい》。着任早々に起こった教え子の殺人

事件で知り合った河村刑事と結婚して九年。現在も爽香たちと交流があり、よき相談相手。ふたりの子供——爽子《さわこ》と達郎《たつろう》——がいる。

河村太郎《たろう》……警視庁の刑事として活躍するが、昨年、ストレスから胃を悪くし、手術で胃の三分の二を切除する。

栗崎英子《くりさきひでこ》……四年前、子供たちが起こした偽装誘拐事件に巻き込まれた。かつて女優として大スターだったが、爽香の助けもあって映画界に復帰。爽香のよき理解者。〈Pハウス〉に入居中。

早川志乃《はやかわしの》……河村が追っていた幼女殺害事件の犯人と同じ学校の保健担当。河村に思いをよせる。

野口久司《のぐちひさし》……警視庁の刑事。河村の元部下。布子への思いを胸に秘めている。

田端祐子《たばたゆうこ》……大学時代の明男の恋人。旧姓・刈谷《かりや》。就職した〈G興産〉で出会った田端将夫と一昨年、結婚した。

田端将夫《まさお》……現在、〈G興産〉社長。祐子と交際中も、爽香に好意を寄せていた。

浜田今日子《はまだきょうこ》……爽香の同級生で一番の親友。美人で奔放かつ成績優秀。現在、医師。

杉原充夫《みつお》……爽香の十歳上の兄。三児の父。妻の則子《のりこ》は、一時爽香と絶縁状態だった。

杉原成也《しげや》……爽香の父。脳溢血で倒れたがリハビリを重ね、仕事ができるまでに回復。

杉原真江《まさえ》……爽香の母。爽香をハラハラしながら見守るも、よき理解者でもある。

丹羽周子《にわかねこ》……明男の母。爽香を嫌っていたが、明男の事件をきっかけに態度が和《やわ》らぐ。

——杉原爽香、二十八歳の冬

1　舞台

爽香《さやか》がそのコンサートホールへ着いたとき、もう七時を五分過ぎていた。

「間もなく開演ですので、お急ぎ下さい」

と、チケットを切って、ちょっと妙なデザインの制服姿の女の子が言った。

分《わか》ってるわよ！　こんなに急いで来たじゃない！

遅れた自分が悪いと分っていても、ついそう言いたくなってしまう。

ロビーを小走りに抜けながら、爽香はコートを脱いだ。チケットの座席番号をもう一度見て、頭へ入れる。

重く分厚い防音扉を開けて中へ入ると、場内の照明が少し落ち、舞台が明るくなったところだった。

舞台の上には、蓋《ふた》を半分開けたグランドピアノ。まだ演奏者は現われていなかった。

座席を見付けよう、と、手近な席の背についたプレートを見ていると、

「爽香さん！　ここよ！」

場内に響き渡る声。あわてて顔を上げると、栗崎英子《くりさきひでこ》が立ち上《あが》って手を振っている。

爽香は、

「すみません。——失礼します」

と、既に着席している人の前を通って、栗崎英子の隣の席へ何とか辿《たど》り着いた。

「すみません、遅くなって」

この寒さの中、汗をかいている。

「間に合えば、三十分前も一分前も同じよ」

と、かつての大女優——いや、今も現役である栗崎英子は、堂々としている。

このところ、TVの連続ドラマにも顔を出しているので、場内の他の客も、小声で「栗崎英子よ」と囁《ささや》き合っている。

「スターは少々変っている」

のが当然の世代。

爽香には、その自信と、そこから来る若々しさが羨《うらやま》しい。英子は、今年七十になっているのだ。

「あ、そうだ。ケータイ」

爽香は、バッグを開けて、ケータイの電源を切った。英子の方へ、

「電源、切られました？」

った。

「変らないわ」

と、拍手しながら英子が言った。


「忘れたわ。見て」

「はい」

爽香が、英子のバッグを開けて、中のケータイを取り出した。切っていない。確かめて良かった。

電源を切ってバッグへ戻すと、ちょうど舞台に今日の主役が現われて拍手が起《おこ》った。

「変らないわ」

と、拍手しながら英子が言った。

白髪混《まじ》りの豊かにウェーブした髪。すらりとした長身。年輪を感じさせる日焼けした顔……。

爽香は、英子からもらっていたチラシをそっと開いてみた。——何て人だっけ？

〈喜美原治《きみはらおさむ》　日本歌曲を歌う〉

バリトン歌手だ。——その紳士について出て来たのは、娘か孫かというような、若い女性ピアニストで、チラシには〈片桐輝代《かたぎりてるよ》〉とあった。

ひとしきり拍手が続いて、それがおさまると静かになった。

ピアニストが譜面を開いて、喜美原治の方を見る。歌手は、ちょっと目を閉じて呼吸を整《ととの》えているように見えたが、すぐにピアニストの方へ肯《うなず》いて見せる。

——初めの曲を歌い出したとき、場内には、声にならないどよめきが起った。

六十という年齢からは想像もできない若々しい声！

爽香は決してクラシック音楽の「通《つう》」ではない。特に声楽などには詳しいわけでも何でもないのだが、それでも喜美原治の声の、つややかさ、みずみずしさには驚いた。

隣の大女優、栗崎英子が、感に堪《た》えないように、

「昔のままの声……」

と呟《つぶや》くのが、爽香の耳に入った。

杉原《すぎはら》爽香、二十八歳。

高齢者用のケア付き高級マンション〈Pハウス〉のスタッフとして勤務している。栗崎英子も、その〈Pハウス〉の入居者の一人なのだ。

爽香は今、家を出て、夫、明男《あきお》と二人でアパート暮しをしていた。自分の両親、杉原成也《しげや》と母真江《まさえ》があまり丈夫とは言えないので、何かのとき、すぐ駆《か》けつけられるよう、アパートは実家から歩いて五分ほど。

いわゆる「ミソ汁の冷めない距離」だ。

夫、明男の母、丹羽周子《にわかねこ》は一人暮しだが、元気に働いていて、今はすっかり息子への執着からも逃れたようだった。

爽香の方でも、自分の実家近くのアパートを選んだ代り、必ず週に一度は丹羽周子の所で夕食をとるようにして、バランスを取っていた。

明男との結婚から一年余り。――爽香の身辺は、ここ数年の間で一番穏《おだ》やかな日々を迎えていたと言っていいかもしれない……。

もちろん、周辺には色々なことがある。

たとえば、血を吐いて倒れ、胃の三分の二を切除した河村《かわむら》。布子《きぬこ》は変らず元気に教師を続けているが。

それぞれの抱える問題については、折に触れて分ることだろうが――。

「――あの喜美原さんはね、昔、私の恋人だったことがあるの」

と、英子は言った。

「そうなんですか」

「もちろん、ずっと昔よ。もう……三十年以上たつかな」

英子は、過去を思い出しているのか、フッと微笑《ほほえ》んで、「朝まで眠らないで愛し合って、そのまま撮影所へ駆けつけたこともあったわ。全然平気だった。若かったのね」

「あの……」

と、爽香は言った。「小さな声で。周りに聞こえます」

「昔の役者はね、マイクが今みたいに性能良くなかったから、よく声が通るのよ」

「そんなこと、自慢しないで下さい。――今また栗崎様は有名人なんですから」

「そうしたのは、爽香さん、あなたでしょ」

そう言われると、爽香も言い返せない。

「ともかく、周りに気を付けて下さい」

と、爽香は半《なか》ば諦《あきら》めの境地で言った。

——バリトン歌手、喜美原治のリサイタルは、前半を終えて休憩時間に入っていた。

爽香は席を立ってロビーへ出た。

欠伸《あくび》が出る。——退屈なのではない。寝不足が慢性化しているのだ。

〈Pハウス〉での仕事の忙しさに加え、いざ結婚すると、家事の負担がある。

実家にいたころは、母に甘えて任せることもあったが、自分のアパートとなるとそうもいかない。明男は、母親が何でもやってくれる状況の中で育ったので、家のことはあまりできない。

加えて、爽香が性格的に、何でも手抜きができないせいもあるだろう。

「——若い声ねえ」

と、感心している客の声が、ロビーのあちこちで聞こえてくる。

誰も同じ思いなのだ。

爽香は他のコンサートのチラシを眺めていた。

「あの——」

という声に振り向くと、このホールの案内係の女性。

「はい」

「栗崎英子様のお連れの方ですか」

「そうですが……」

英子がどうかしたのだろうか？　一瞬ドキッとした。

「あの——休憩、あと二、三分なので、適当に打ち切っていただきたいんですけど」

「は？」

爽香があわてて客席の方へ戻ってみると、英子の席の所から、ズラッと行列ができて、どうやら時ならぬ「サイン会」となっているらしいのだ。

「あの、ごめんなさい、ちょっと」

爽香は並んでいる人たちへ、「栗崎さんはプライベートなので。ホールにもご迷惑ですから。——ね、ごめんなさいね。席へ戻って下さい」

汗をかきかき、やっと列がなくなってホッとする。

「——ご苦労様」

と、英子は澄まして、「サインを求められるって、悪い気はしないもんよ」

「でも、場所を考えて下さいよ！」

と、つい渋い顔になる爽香だった。

後半の開始のチャイムが、すぐに鳴り渡った。

「〈城ヶ島の雨〉があるわね、後半」

と、英子はプログラムを開けて言った。「この人の〈城ヶ島の雨〉は最高よ」

「雨は降る降る……っていうやつですか」

「そう。利休鼠《りきゅうねずみ》の雨が降る……。いい詞よね!」

「〈利休鼠〉って何のことですか?」

「ああ、若い人は分らないでしょうね。千利休《せんのりきゅう》って知ってる?」

「はい、茶道の……」

「そうそう。その利休の好んだ鼠色よ」

「そうですか。どんな色なんですか?」

「そうねえ……。少し緑がかった灰色ってとこかな」

「利休鼠……。憶《おぼ》えときます」

と、爽香は言って、座席に座り直した。

ところが——客席は静かになったのに、一向に歌手が現われない。
二、三分は静かだったが、五分、六分と過ぎると、さすがに客もざわつき始めた。
「——どうしたんでしょうか」

「休憩中に恋人にでも会いに行ってるのかしらね」

「まさか」

——十分近くたった。

舞台へ出て来たのは、ピアニストだった。

客席へ向って、

「恐れ入ります」

と、口を開いた。「私、今夜の伴奏《ばんそう》をつとめている片桐です。実は、喜美原さんがついさっき楽屋で倒れました」

場内がどよめく。

「大変申しわけありませんが、今夜はもう歌えないということで、当人に代りましてお詫《わ》びいたします」

と、片桐輝代は深く頭を下げた。

少し間があって——パッと立ち上ったのは栗崎英子だった。よく通る声で、

「早く元気になって、と伝えてちょうだい！」

と言うと、場内は一斉に拍手に包まれた。

「ありがとうございます……」

片桐輝代が涙ぐみながら、くり返し頭を下げた……。

主催者からも説明があって、客はゾロゾロと帰り始めた。

「——ゆっくり出ましょ」

と、英子は言った。「爽香さん、食事まだでしょ？　何か食べて帰りましょうよ」

「ええ、構いませんけど……」

「あ、愛《いと》しい旦那様が待ってるのか」

「『愛しい』は余計です。――今夜は遅くなると言ってありますから」

爽香はコートを着て、大分《だいぶ》空《す》いて来たホールの中を見回し、「そろそろ行きましょう」

「そうね」

英子が立ち上る。

二人が出口へ歩き出すと、

「あの……」

と、後ろから、「栗崎さんでいらっしゃいますね」

振り向くと、あの片桐輝代というピアニストである。

「ええ、そうですけど」

「よろしかったら、楽屋へおいでいただけないでしょうか」

「いいですよ。でも――病院へ運ばないんですか?」

「本人がいやがっていて」

「わがままな!　いいわ、意見してやります!」

そう言うと、英子はスタスタと舞台の方へ歩き出す。片桐輝代があわてて、

「あの――楽屋はそっちじゃないんですけど!」

と、追いかけて行く。

爽香は思わず、

「やれやれ」

と呟いたのだった。


楽屋の入口の辺りには、数人の男たちが集まって、小声で何やら話し合っている様子だった。

「失礼します」

と、片桐輝代が声をかけると、男たちが一斉に振り向く。

「あ……。栗崎英子だ」

と、一人が言った。

英子はちょっと眉をひそめて、

「本人の前で、名前を呼び捨てにするってことがありますか！」

と言った。

「すみません！　つい――」

「喜美原さんに用があるの。他の方は引き取って下さいな」

と、英子は勝手に「人払い」をしてしまう。

「――いいんですか？」

と、爽香はハラハラして、小声で片桐輝代に訊《き》いた。

「ええ、構いません」

男たちは、英子に追い払われて、多少ブツクサ言いながら帰って行った。

「今日のリサイタルを録音して、CDを出そうとしてたんです。でも、具合《ぐあい》が悪いっていうのに、『何とか歌えないか』なんて先生に詰め寄って……。私、よっぽどバケツの水でもかけてやろうかと思いましたわ」

片桐輝代は、見たところおとなしそうなタイプに見えるが、そうばかりでもないらしい。

英子はそれを聞いて面白《おもしろ》がっていた。

「この人なら、本当にやってたわね、きっと」

と、爽香を見る。

「すぐそういうことを――」

「入っていい？」

「ちょっとお待ち下さい」

片桐輝代が先に中へ入り、二、三分して中からドアが開いた。

「お待たせしてすみません。どうぞ」

と、片桐輝代が言った。

2　影の中の花

「英子さん！」

と、大歌手は言った。

「起きないで」

大女優は、楽屋のソファに横になっている歌手へと近寄って、「――久しぶりね」

と、手を差し出した。

喜美原治はその手を取って、

「相変らず、何もしていない手だ」

と言った。

「口の達者なところも、昔の通りね」

と、英子は言って、ドアの傍に静かに立っている爽香の方を振り返ると、「この子は杉原爽香といって、私の今暮してる〈Pハウス〉っていう――」

「週刊誌で見ましたよ。超高級マンションですね。高齢者向けの」

「〈超〉かどうかは知らないけど、ともかくその〈Pハウス〉の職員で、私の担当なの」

爽香は黙《だま》って深々と頭を下げた。

「――心配かけて、すみません」

「思ったより元気そうで、少し安心したわ。どうしたっていうの？」

「時々こうなるんですよ」

と、喜美原は言った。「突然胸が苦しくなってね。でも、大丈夫。いつもしばらくじっとしていれば治るんです」

「そう？　でも、あちらのお嬢《じょう》さんは、そうじゃない、と思ってらっしゃるようよ」

英子は、不安げな表情で立っている片桐輝代の方を見て言った。

「あの子はね、心配性なんです。僕のことを年寄《としより》扱いしてね。困ったもんですよ」

「本当に年寄なんだから仕方ないでしょ」

「英子さん……。あなたは分ってくれると思ってたがな」

「分ってるわよ。私はね、あなたより大分年よ。そして、この爽香さんを始め、大勢《おおぜい》のスタッフのお世話になって生きてる。――いいこと？　年寄になれば、誰でも人の世話になって生きることになるのよ。それを拒むのが若さだなんて思ったら大間違い」

「手厳しいですね」

「あなたはプロでしょ。今夜だって、あなたの歌を聞きたくて、あれだけのお客さんが集まったのよ。その責任を果《はた》すためには、どんなに病院が嫌いでも、行って、しっかり診てもらうこと。それぐらいのことができなくちゃ、プロとは言えないわ」

自ら、長くプロ中のプロとしてやって来ている英子の言葉だけに、説得力がある。

「――ね、先生」

と、片桐輝代が言った。「ちゃんと検査してもらいましょう。私も一緒に行きます」

「検査か……」

と、喜美原は、ちょっと情《なさけ》ない表情で、「もし、何か見付かったらどうするんだ?」

「見付けるための検査でしょ」

と、英子は呆《あき》れたように、「もし何か見付かったら、『放っとけば、ひどくなるところだったんだ』って、前向きに考えるのよ」

「でも――。もし、もう手遅れで、寝たきりになったら?」

「あんた、ずいぶん諦めが悪くなったわね。そのときはそのときでしょ」

「先生、そのときは私がちゃんと面倒を見ますから」

と、若いピアニストは言った。

「ありがとう。――その子はね、優しいんですよ、本当に……」

英子は爽香と顔を見合せた。

――なお、しばらく昔話をしてから、英子と爽香は失礼することになった。

「私、お送りして来ます」

と、片桐輝代が言った。

「そうしてくれ。僕は大丈夫だ」

英子は喜美原へ、

「それじゃ」

と、手を振って見せた。

「また、お目にかかりましょう。輝代、ちゃんと、この大女優さんをお送りするんだぞ」

「しつこいわね。それも年齢のせい？」

と、英子は言ってやった……。

楽屋から、外へ出る通用口へと案内した片桐輝代は、

「本当にありがとうございました」

と、重ねて言った。

「──片桐さん、だっけ？」

と、英子は言った。「あなた、喜美原さんとはどういう関係なの？」

「あの……色々教えていただきました」

と、目を伏せる。

「その『色々』の中には、寝たきりになったら面倒をみる、なんてことも本当に含まれてる

の？」

輝代は、少し迷っている様子だったが、やがて思い切ったように胸を張り、

「私――先生と結婚しているつもりです」

と言った。「先生はそう思っておられないかもしれません。でも、私は先生の妻のつもりなんです」

その声は、まだ楽屋の辺《あた》りにいる人たちの耳にも届くのではないかと爽香などが気にするほど、よく響いた。もしかすると、楽屋の喜美原に聞かせたいのかもしれない、と爽香には思えた。

「――分ったわ」

と、英子は肯いて、「喜美原さんも幸せ者ね」

と微笑んだ。

輝代はホッとしたように、少し頬を赤らめて、

「あの――でも、私一人がそう思ってるだけで、先生は何も……」

「そんなこと、あるもんですか。女心には、そりゃあ通じてる人なのよ。どっちかっていうと、歌より女の方《ほう》が好きかもしれないわね」

「そうでしょうか」

「そうよ。あなたは若いから分らないだろうけど」

放っておくと話が長くなりそうなので、爽香は英子をつついて、

「もう〈Pハウス〉へ帰りましょう」

と促した。

「はいはい」

英子は表へ出て、振り向くと、「あの人がちゃんと歌えるようにしてやってね」

と、輝代へ言った。

そう言われたことが嬉しかったのだろう。輝代は、

「はい！」

と、力強く答えたのだった。


〈Pハウス〉の正面にタクシーが着く。

「——お疲れさまでした」

爽香は、ロビーに入ると、「私、仕事が残っているので」

「あら、悪かったわね」

と、英子は言った。「遅くなるわね、帰りが」

「とんでもない。すてきな声を聞かせていただいて。またお誘い下さい」

「ええ、ぜひね。じゃ、おやすみなさい」

「おやすみなさいませ」

と、爽香は、英子がエレベーターに乗るまで見送った。

「爽香さん」

と、窓口の女の子が呼ぶ。

「はい」

爽香はきびきびと歩み寄って、「何か伝言とか電話が?」

「これ、電話のメモ。特に急ぐのはないと思うわ」

「ありがとう。明日かけるわ」

「それと――お客様が」

「客?」

「そこでお待ちよ」

冷やかすような笑顔に、爽香が戸惑《とまど》って振り向くと――ロビーのソファで居眠りしている明男の姿が見えた。

「まあ、いやだ!――明男、ちょっと! こんな所《ところ》で寝ないでよ!」

と、あわてて駆け寄ると、明男がハッと顔を上げ、

「おはよう」

「おはよう、じゃないでしょ! 夜よ」

「あ……。いけね。眠っちまった」

と、大欠伸をする。「──今、何時だ?」

「九時半よ」

「じゃ……一時間ぐらい寝ちゃったか」

「びっくりした! どうしてここへ?」

「うん……。もう帰れるのか?」

「机の上を整理して──」

と、爽香が言いかけると、

「帰って下さい」

と、受付の子が言った。「片付けなんて、明日でいいですよ」

「でも──」

と言いかけ、思い直した。「じゃあ、帰らせてもらうわね」

「どうぞ、どうぞ」

爽香は明男と腕を組んで、

「さ、帰りましょ、あなた」

「おい、気持悪いこと、よせよ」

明男の言葉に、爽香自身もふき出してしまった。

〈Pハウス〉を出て、駅への道を歩き出す。

「——寒いね」

と、爽香は首をすぼめ、「何かあったの？」

「先生から電話があったんだ」

「布子先生？」

「うん。お前のケータイにかけたらしいけど、つながらなかったって」

「今夜、コンサートだったから、電源切ってた。——先生、何の用だったの？」

河村刑事と結婚した布子は、旧姓安西《あんざい》。中学校で、爽香と明男が知り合ったときの担任だった。

爽香の係《かかわ》った事件で河村刑事と知り合い、結婚。今は二人の子供がいる。

刑事として働き盛りだった河村が、ストレスから胃を悪くし、血を吐いて倒れたのが去年のこと。手術で胃の三分の二を切除した。

河村自身は、回復したらまた第一線に復帰するつもりでいたのだが、人事異動で、河村は体に楽なデスクワークに移された。

爽香も気にしていた。河村のようなタイプの男は、刑事に向いているのだ。

ストレスはまた別の問題なのである。

「——河村さんのことね」

「うん」

と、明男は肯いた。「ゆうべから帰ってないらしいんだ」

「ゆうべから?」

布子には教師としての仕事があり、休むわけにいかない。

爽香は、布子の胸中を思って、自分の胸が痛むのを感じた。

「タクシー、拾おう」

爽香は通りかかった空車を、手を上げて停めた。

3 外泊

玄関のチャイムを鳴らすと、すぐに物音がして、ドアが開いた。

「明男君！　ごめんね。あら、爽香さんまで来てくれたの」

と、布子が申しわけなさそうに、「心配かけちゃって、ごめんなさい」

「先生のお宅の一大事なら、何を置いても駆けつけますよ」

と、爽香は言った。「仲人《なこうど》ですもの、私たちの」

「それで、河村さんは？」

「それがね、ついさっき電話があって」

と、布子は苦笑した。「どこかで飲んだらしいの。あの体なんだから、アルコールは控えてって言ってあるのにね。回るのがとっても早いんですって。それで酔い潰《つぶ》れてね。お友だちのうちへご厄介《やっかい》になってるそうなの」

「じゃあ、心配ないんですか？」

「ええ、グーグーいびきかいて寝てるって。心配しただけ損しちゃったわ」

「ならいいですけど」

と、明男が言った。

「ごめんなさいね。上ってもらうといいんだけど、子供たちをやっと寝かして、これからテストの採点なの」

「そんなこといいんです」

と、爽香が首を振って、「でも、先生も倒れちゃわないで下さいね」

「私は大丈夫よ。あの人も、もう犯人を追いかけてけがするようなこともないし、早い時間に帰って来るしね」

「じゃ、よろしく言って下さい」

と、爽香は明男の手を握って、「私たちは夜ふけのデートと洒落《しやれ》ますから」

「風邪引かないで」

「じゃ、おやすみなさい」

「おやすみなさい。わざわざありがとう」

布子はしばらく玄関の所で二人を見送っていた。

「――どうってことなくて良かったな」

と、歩きながら明男が言った。「やっぱり一度倒れると心配だよな」

爽香は何やら考え込んでいる。

「どうしたんだ？」

「先生、普通じゃなかった」

「どうして？」

「あんなに、まくし立てるようにしゃべらないよ、いつもは。それに、何ともないと分ったら、その時点で必ず明男か私に電話してくるわ。先生なら、きっとそうする」

「じゃ……何だって言うんだ？」

「分らないけど……。私たちに知られたくないようなことなのよ、きっと」

「そう言われてみると、先生、落ちつかなかったな」

「でしょ？」

「でも、まさか……河村さんが、先生に心配かけるようなこと、するか？」

「あってほしくはないけど、あり得るわ」

明男はため息をついて、

「考え過ぎだといいけどな」

と呟いたのだった。

布子は、ダイニングのテーブルに向って椅子《いす》にかけると、しばらくの間、ぼんやりとテーブルの上に広げた生徒たちの答案を眺めていた。

仕事をするための机はちゃんとあるのだが、テストを一杯広げたり並べたりする広さがない。

結局、この食事のためのテーブルが、一番広くて使いやすいのだった。

それでも、布子は赤のサインペンを手に取るだけの元気がなかった。

——ひどく疲れていた。まるでグラウンドを何周も駆けた後のようだ。

嘘をつくのは疲れることなのだ、と布子は知った。

いや、布子だって人間である。嘘ぐらいちょくちょくついている。

しかし——爽香たちに、夫のことで嘘をつくのは、単に人をおだてたりするための嘘とは全《まった》く別だった。

頭が良く、勘《かん》も鋭い爽香のことだ。見抜いていたのではないか、と思った。

自分としては百点満点の名演技を見せたつもりだが、プロの役者ならぬ身。どれほどの出来だったか……。

時計へ目をやる。

夫はゆうべから帰っていない。ということは、昨日の朝、出かけたきり、ということである。

まだ四つの達郎《たつろう》はともかく、爽子《さわこ》にどう説明しよう？　八歳にもなれば、大人の顔をちゃんと見ている。

これまで、父親が仕事のためでなく、帰って来なかったということはない。爽子も、パパがもう犯人を追いかけたり、見張ったりしていないと分っているのだ。

それなのに――。

気を取り直して、赤の細字サインペンを手に、答案に向う。

しかし、採点に集中しようとすると、まるで布子を小馬鹿にするように、あの電話の声が聞こえてくるのだ。

「河村さん、帰りたくない、とおっしゃってますので……」

そんなはずはありません！　主人と替って！

カッとしたら負けだ、と思っても、声が怒りで震えるのは止められない。

「――電話に出たくない、とおっしゃってます」

ともかく、替って！

「ご本人が出たくないとおっしゃってるんですから。私、別にご主人に縄をつけてるわけじゃありません。帰るとおっしゃれば、お止めしませんわ。でも、帰りたくないとおっしゃるんですもの」

わざと困ったような口調で言いながら、そこには勝ち誇《ほこ》った響きがはっきりと聞き取れた……。

こんなことになるなんて。――こんなことに。

布子が両手で顔を覆《おお》って、ため息をつく。

すると、電話が鳴った。

立って行って、出ると、

「僕だ」

「あなた……」

少し間があって、

「――すまん」

と、河村は言った。「明日の朝、早く帰る。出勤前に」

「分ったわ」

と、布子は言った。「早川《はやかわ》さんは？」

「彼女は……今、風呂に入ってる」

「そう」

「ともかく、明日は必ず帰る」

「分ったわ」

と、布子はくり返した。

「じゃ……。すまないな」

何と言っていいか分らないのだろう、河村は、「すまない」とくり返して、電話を切った。

どこかのホテルからかけているのだろう。――電話の声も、その響き方で、微妙な空気感を伝えるものだ。

あの声の響き方、背後でかすかに聞こえていた音楽も、早川志乃《しの》の部屋というより、どこかのホテルの一室を思わせた。

――早川志乃。

去年、河村が追っていた、幼女殺害事件の犯人と同じ学校で、保健室にいた女性である。二十九――いや、今年で三十歳になったのか――河村に思いを寄せるようになっていた。

布子もそれに気付いてはいたが、特に心配していなかった。あくまで、早川志乃の方の、一方的な思慕《しぼ》だったからである。

それが変ったのは、この春、仕事に復帰した河村が、現場から外《はず》され、事務職に就くことになってショックを受けたこと、そして、それと時期を同じくして、布子が中学校の三年生の学年主任に任命されたためだった。

布子の帰宅は毎日遅く、河村の悩みや不満を聞く時間もなかった。

河村は、布子の忙しさを充分承知していたが、二人の子供に夕ご飯を食べさせることまでやらされて、ストレスはたまっていったのだった。

そんなとき、早川志乃が、こらえ切れずに電話をして来た。河村の心の傷を、志乃の存在がいやしてくれたのだろう。

何かおかしい、と布子が気付いたときには、河村はおそらく志乃と深い仲になっていた。

だが、布子にはそれを問い詰める勇気がなかった。自分が夫を志乃の所へ追いやったようなものだ、という気持があったせいかもしれない。

それに気付いていても、布子には放り出すことのできない仕事があった。帰宅は、夏休みの生活指導から秋の文化祭へと、ますます遅くなった……。

——また電話が鳴った。

夫からだろうか？　やっぱり今から帰るよ、というのだろうか。

きっとそうだ。

「もしもし？」

急いで出てみた。「あなた？　——もしもし？」

「あの……先生ですか」

少しためらいがちな声が、布子に「教師の顔」を取り戻させた。

「桜井《さくらい》君ね」

「すみません。お邪魔《じゃま》なら切ります」

「いえ、いいのよ！　——大丈夫、ちょっとテストの採点してて、眠くなったところだったの」

と、布子は言った。「元気にしてる？」

「はい」

桜井登《のぼる》は、布子のクラスの子である。中三だが、夏休みの後、ずっと学校へ来ていない。

学年主任の仕事に追われる布子は、気にしながらも、じっくりと話をする機会が持てずにいた。

せめて声だけでも、と二、三日に一度は電話をかけ、その内《うち》、桜井登の方からもかけてくるようになった。

「毎日、何時ごろ起きてるの？」

と、布子は言った。

「大体……九時ごろ」

「まさか夜の、じゃないわよね」

「違います。朝ですよ」

と、登がちょっと笑った。

布子は、登の笑い声を久しぶりに聞いた。

「どう？　もう少し早く起きて、学校へ来てみない？」

と、布子は軽い口調で言った。

向《む》こうは沈黙した。――まずかっただろうか？

「ね、桜井君」

と、布子は続けた。「一度、先生のうちへ遊びにおいでよ」

とっさの思い付きだったが、桜井登にとっては、ちょっとした驚きだったらしい。

「だって……いいの？」

「もちろんよ。でも——普段は毎日遅いから、日曜日なら。どうかな？」

「行ってもいいんですか？」

「いいから、言ってるんでしょ」

と、布子は言った。「今度の日曜は、どう？」

「はい、行きます！」

その声は、布子のよく知っている、元気な桜井登のものだった。

「——先生」

「なあに？」

「変なこと訊いてもいいですか」

「変なことって？　『初体験はいくつのとき？』なんて訊いても答えないわよ」

「違いますよ。さっき、先生、電話に出たとき、『あなた？』って訊いたでしょ」

「——そうだった？」

「ご主人のことですよね。まだ帰ってないんですか？」

布子はちょっと答えに詰った。

「まあね。でも、忙しいから、これくらいになるのは、いつものことなの。本当よ」

つい、強調してしまう。

「それならいいんですけど」

「何なの？　桜井君、最近は学校へ来ないと思ったら、家で人生相談の商売をやってるのね？」

「先生っておかしい」

　と、登が笑って言った。

「お互いさまでしょ」

　と、布子は言ってやった。「ええ、実はね、夫に恋人ができて帰って来ないの。どうしたらいいんでしょう？　先生、教えて下さい！」

　登が大笑いしている。

　布子は、正直に話していながら笑われている自分が、どういう気持でいるのか、よく分らなかった……。

「――じゃ、僕、お風呂に入るんで」

「ええ、あんまり夜ふかししないのよ」

「はい。先生も」

「先生のことは心配しないで」

　と、布子は言った。「じゃ、おやすみなさい」

「おやすみなさい、先生」

電話を、登が先に切るまで待っていた。

しばらくして、やっと切れると、布子はホッと息をついた。

——クラスの心配、生徒一人一人の心配、学年全体を見ての心配……。

それだけでも充分だ。

それに、二人の子供のことと、夫のことと……。

布子はテーブル一杯に広げた答案を眺めて、絶望的な気分になった。とても泳ぎ切れない大海原のように思える。

でも、どうしても明日までにやってしまわなくてはならないのだ。

布子は時計を見た。

下手《へた》をすれば、朝までかかるかもしれない。

ほとんど眠らずに、爽子を小学校へ送り出し、達郎を保育園に連れて行って、そのまま学校へ行く。

明朝、夫が早く帰って来たとしても、それを迎える余裕があるかどうか……。

布子は、自分にムチ打つように、テーブルに向った……。

4　危機一髪

「あら、杉原さん、お久しぶり」

と、田端将夫《たばたまさお》の秘書の女性が、爽香を見て言った。

「〈Pハウス〉の用で、ちょっと来たものですから。社長さん、おいでですか」

と、爽香は言った。

「ええ、いるわよ」

と、インタホンへ手を伸《のば》す。

「あ、お忙しいでしょうから――」

「あなたは、どんなときでもフリーパス。分ってるでしょ。――社長、杉原爽香さんがご面会です」

「ちょっと待ってもらってくれ」

と、田端将夫の声がした。

「――どうしたのかしら。別に来客でもないのに」

「いいんです。待つのは一向《いっこう》に」

と、爽香は言った。

ここ、〈G興産〉は爽香の勤める〈Pハウス〉の親会社である。

社長の田端将夫は今年三十歳という若さだが、先代の後を継ぐときのゴタゴタに爽香も多少係りを持った。結果的に、将夫が社長になるのに爽香が力になったせいもあって、〈Pハウス〉に〈G興産〉はよく肩入れしてくれていた。

それだけではない。将夫はどういうわけか、爽香に好意を寄せているのだ。

むろん、二人とも今は既婚者で、将夫も爽香に無理に言い寄ったりする男ではなかった。

——十分近く待って、やっと社長室のドアが開くと、

「待たせたね。——君、コーヒーをいれて」

「お忙しいのに、すみません」

爽香は社長室へ入って、将夫がケータイを手に持っているのに気付いた。「——お電話だったんですか」

「うん」

「奥様から?」

将夫は苦笑してソファに座ると、

「どうして君はそう勘がいいんだ?」

「余計なことを言って、すみません」

爽香はバッグを開けると、封筒を取り出して、テーブルに置いた。「今月、二万円しか都合《つごう》できなくて。すみません。ボーナスが出たら、また……」

「充分だよ」

と、将夫は封筒を手に取ると、内ポケットへ入れた。「君が出してるんだろ？」

――爽香の兄、充夫《みつお》が、友人の借金の保証人になって、一千万円もの借金をしょい込むことになってしまった。

爽香が将夫に頼み込んで、個人的に一千万円を借りたのである。

もちろん、充夫が返すべき借金なのだが、去年は三番目の子が生《うま》れ――女の子で、瞳《ひとみ》という名だった――生活も楽でない。

少しでもいいから、という爽香の言葉にも、兄の充夫は生返事をするばかりになってしまって、この半年ほどはずっと爽香が自分で返済していた。

将夫のことだ、爽香が待ってくれと言えば喜んで待つだろう。しかし、それだけに、爽香は将夫の好意に甘えたくなかった。

「兄の所も苦しくて」

「無理をするな。いいね」

「はい」

「ボーナスは大事にするんだ。これ以上持って来ても受け取らないよ」

「すみません」

と、爽香は頭を下げた。

「──どうぞ」

秘書がコーヒーを持って来てくれた。

爽香は、しばらく、本物の（将夫がこだわるので）コーヒーを味わった。

「祐子《ゆうこ》は今、軽井沢にいるんだ」

と、自分専用のコーヒーカップを手にして、将夫が言った。

「寒いのに。スキーですか？」

「いや、なじみのホテルなんで、気が楽なんだろう。毎日、ああして電話してくる」

将夫は、ちょっと首を振って、「会議中でも出ないと、後で大変なんだ、怒って」

「寂《さび》しいんですよ、祐子さん。軽井沢へ行っておあげになれば」

「忙しい。とてもそんな時間はないよ」

爽香はカップを置いて、

「奥様のことを、そんな風《ふう》に私に話さないで下さい。聞くのが辛《つら》いですから」

と言った。

「すまん」

「いえ……勝手を言って」

——将夫の妻、祐子は、かつて大学生のときの明男の恋人だった。

祐子のために、一度は明男と別れた爽香である。その祐子が今は〈G興産〉の社長夫人。

ふしぎな縁《えん》である。

「実はね」

と、将夫が言った。「祐子、流産したんだ」

爽香が目をみはって、

「いつですか？」

「九月だった。——落胆して、立ち直っていないんだ」

「そばにいてさしあげなくては」

「分ってる。しかし、社長の仕事を放り出して、付きっきりでいるわけにはいかない」

「せめて週末ぐらいは、行ってあげて下さい。お願いです」

将夫は肯いて、

「分った。そうするよ。列車ならそうかからない」

「ぜひ、そうして下さい。きっと奥様も喜ばれますわ」

「うん。——そうしよう」

将夫は微笑んで、「君に言われると、そうしようって気になる。ふしぎだな」

「私って、実は魔法つかいなんです」

爽香は真面目《まじめ》な顔で言った……。


〈G興産〉のビルの一階へ下りて、爽香はコートに手を通した。

「ご苦労様」

ビルの受付嬢が声をかけてくれる。むろん顔見知りである。

「お邪魔しました」

と、爽香は会釈《えしゃく》して、ビルから寒い戸外へ出ようと一息入れた。

そのとき、バッグの中でケータイが鳴り出した。

広いロビーでは音が響く。

「すみません」

と、あわててロビーの隅《すみ》へと駆けて行って、出てみると、

「――爽香さん？」

聞き憶えのある声。

「則子《のりこ》さん。お久しぶりね」

と、爽香は言ったが、兄嫁の則子の声は、いつになく険《けわ》しかった。

「うちの人から何か連絡なかった？」

「兄から？　いいえ。どうしたの？」

「それならいいの」

「則子さん。もしもし？」

向うはさっさと切ってしまった。

爽香は首をかしげた。――則子の声の後ろが、いやに騒がしかった。

どこか外でかけているとしても、あまりにやかましい。アナウンスの声らしいものが聞こえて――。

「駅だ、きっと」

駅のホームか、構内でかけているのだろうと思った。でも、なぜ？

肩をすくめて、ケータイをバッグへしまおうとした爽香だったが、何だかいやな予感がした。

ケータイのメモリーに入れた番号の中で、兄、充夫のものを見付けてかけてみた。

――少し長く鳴っていたが、

「もしもし」

と、充夫が出た。

「お兄さん？」

「爽香か。どうしたんだ？」

声の聞こえ方がいつもと違う。

「お兄さん、今どこにいるの?」

「新幹線の中だよ」

「新幹線?」

「出張の帰りさ」

「帰り……。いつこっちへ着くの?」

「もうじきだよ。今、品川の辺りだ」

爽香は、ロビーをちょっと見回して、

「お兄さん、正直に言って。一人?」

「え?」

「連れがいるんじゃない?」

少し空いた間《ま》が、答えになっていた。

「——どうして知ってる」

「もう! どうして、そうこりないのよ!」

と、思わず声を大きくする。「誰なの、一緒なのは?」

「あ……社内の……」

「あの子ね。畑山《はたやま》ゆき子《こ》っていったっけ」

「よく憶えてるな、お前」

「お兄さんの好みは分ってるわよ」

「でも、どうして分った？」

「本当に出張なの？」

「ああ。大阪で落ち合ったんだ」

「聞いて。則子さんが東京駅で待ち構えてるわよ」

「え？」

「今、電話があったの。騒音の感じからして、駅のホーム。きっと、会社の誰かを味方につけて、お兄さんが帰りに二席取ったのを聞き出したのよ」

「分った。何とかする」

充夫が青ざめているところが目に浮んだ。

「彼女をすぐ他の車両へ行かせて。お弁当の容器とか、缶ジュースとか、すぐ片付けるのよ。二つ席を取った言いわけも考えといて」

「分ったよ。ありがとう！」

通話が切れた。——デッキからあわてて座席へ駆け戻る兄の姿が見えるようだ。

「——いい加減にしてよ！」

と、ため息が出る。

兄、充夫は、若い女の子にはやさしく、気をつかうので、しばしば問題を起している。

その都度、則子にばれて、こっぴどくやられているというのに、性こりもなく、また若い子に手を出しているのだ。

若いといっても、確か二十六ぐらいにはなっている。畑山ゆき子に初めて会ったとき、爽香は、

「危《あぶな》いな」

と直感したのだった。

それにしても――。あの則子の鋭い目を逃れることは難しいだろう。

「自業自得《じごうじとく》だ」

と呟くと、爽香は〈G興産〉のビルを出た。

地下鉄に乗って、さらに私鉄へ。――〈Pハウス〉へ戻る途中、駅前でバスを待っていると、またケータイが鳴った。

兄からかと思って出ると、

「爽香さんですか」

「はい」

「私、畑山ゆき子といいます」

「あ……」

お兄さんたら、私のケータイの番号までこの子に教えたのか！

「ありがとうございました。おかげさまで助かりました」

「駅で奥さんが待ってたでしょ？」

「はい。私、他の車両から降りて見てました。奥さん、中へ入って、座席を調べてたみたいです」

「人騒がせはやめてよ」

「すみません。でも、私、充夫さんを愛してるんです」

せつなげな声でそう言われると、爽香も困ってしまう。

何といっても充夫の方が悪いのだ。

しかし、充夫は一千万の借金を爽香に返済させておいて、自分は若い子と出張先で落ち合って浮気と来る。いかに爽香でも許せないことがある。

「あなたが悪いんじゃないわ。今度、兄とゆっくり話すから」

と、爽香は言った。「でもね、あなたももう子供じゃないんだし、同じ会社の中で、そんなこと、まずいんじゃない？」

「はい」

「ともかく――どんなに隠してるつもりでも、社内のそういうことはすぐ知れ渡るものよ。当分、兄と会わないようにした方がいいわ」

「よく考えます」

「ええ、そうして。じゃ、私、バスに乗るから」

爽香は通話を切ると、やって来たバスに乗った。

まるでマラソンでもやったようにくたびれ切って、爽香は空《あ》いた席にぐったりと腰を落とした……。

5　スタジオにて

「じゃ、本番行きます！」

と、声が飛ぶ。

「十秒前。――五秒前」

爽香は、栗崎英子の美しい和服姿に見とれていた。

TVドラマの収録に、爽香はついて来ている。むろん、英子に言われての「お供《とも》」である。

TVドラマは、てっきりTV局の中で収録しているのだと思っていたが、実際はほとんどが「貸スタジオ」と呼ばれる場所を使っていることを、初めて知った。

今は、大邸宅の居間のセットが組まれ、そこでのお芝居。

栗崎英子は、ドラマの主人公である女性の母親役。――十年以上も会っていなかった母娘の再会という場面だ。

他にも、女優男優、七、八人がセットに揃っていた。

その中でも、栗崎英子は、際立《きわだ》って美しかった。

むろん、年齢より若く見えるとはいえ、ヒロイン役の二十二、三の女優に比べれば老《ふ》けている。二十歳や、十六、七の女の子たちに比べれば、肌のつやも違う。

それでも、爽香の目には英子が一番美しく映《うつ》る。よく知っているから、というだけではない。「美しい」というのは、顔立ちのことだけ言うのではない。雰囲気の美しさ、というものがある。

英子の場合、何より和服——それも高価な加賀友禅《かがゆうぜん》の——を着こなし、身についていること、ビシッと背筋の伸びた姿勢の良さ。

そして何よりも、「立《た》ち居振舞《いふるまい》」の美しさである。座っているときの手の置き方、立ち上るときの動きの滑《なめ》らかさ。

ヒロインの女優は、確かに「スター」の輝きを持っているが、ドアの開け方、閉め方一つ見ても、何も考えていないのが分る。

セリフのやりとりも、英子のセリフだけがはっきりと耳に届いてくる。

リハーサルから爽香は見ていたが、「やり直し」が、役を深く理解するためでなく、もっぱらヒロイン役の女優の、舌がもつれてセリフをとちってしまうくり返しのせいだったのには、がっかりしてしまった。

やっとこぎつけた本番。

何とか、問題のセリフもこなし、そのシーンは終《お》わりまで行った。

「――はい、OK」

の声に、ホッと空気が緩む。

スタッフもすぐに次の場面の用意にかかる。

「ちょっと」

と、英子が言った。「ね、今、〈みどり〉ちゃんのセリフ、一言落ちてたわよ」

「え？　そうですか？」

〈みどり〉はヒロインの役名である。

「『この上、何かおっしゃりたいことがあれば』の次に、『いっそ』が入るでしょ」

「あ、そうでしたっけ？」

台本を、他人のセリフまで頭に入れているのだ。

「――なくても問題ないので、そのままOKで」

と、フロアディレクターが言った。「時間もありませんから」

「それなら結構」

英子はセットの中のソファに腰をおろして、「次の準備がすんだら、呼んでちょうだい」

英子のそばに行って何やら耳打ちしている女性は、英子のマネージャーで、仕事には必ずついて歩いている人だ。

三十代の半ばくらいで、地味な印象。英子のそばにいると、余計《よけい》そう見えるのかもしれない。

山本《やまもと》しのぶというその女性マネージャーは、英子と話がすむと、セットを覗《のぞ》いている爽香に気付いて、

「いらっしゃい」

と、やって来た。「英子さんに呼ばれて？」

「ええ。まだ大分かかりますか？」

「そうね。あと……」

と、腕時計を見て、「三十三分で終ると思うわよ」

「どうして、そんな半端な時間が？」

「主役のアイドルさん、次の仕事があって、絶対に時間が延長できないの。次の仕事が生中継だそうで」

「それで今の場面……」

「そういうこと。本人はいい子なんだけど、周りがね」

と、山本しのぶは言った。

「山本さん、この後は？」

「爽香さんがいれば、マネージャーがいる必要なさそうね」

「まさか」

「冗談よ。〈Pハウス〉へは、夕食の後、送って行くわ」

「よろしくお願いします」

と、爽香は言った。

山本しのぶが行ってしまうと、爽香はそっとセットに上り、

「堂々たるものでしたね」

と、英子に声をかけた。

「昔ならね」

と、英子がため息をつく。「セリフを一言抜いても『大したことない』からＯＫ、なんてことと決してなかったわ」

「時代ですね」

「セリフさえトチらなきゃＯＫ。どんなに不自然でも、『どうせ下手なんだ』って、スタッフの方も諦めてる。——可哀《かわい》そうよ」

「誰がです？」

「主役の子に決《き》まってるじゃないの。何てったっけ？」

「あの人——花房《はなぶさ》ルミ子《こ》でしたっけ？」

「そういう名前だった？　人の名前って、すぐ忘れちゃう」

と、英子は苦笑した。

セリフは憶えても、人気スターの名前は憶えない。——英子らしい、と爽香は思ったりした。

「可哀そうって、花房ルミ子がですか？」

「そうよ」

「でも、凄《すご》く売れてますよ」

「だからよ。——売れてなきゃ、少しは自分のことを考えるでしょう。でも、次から次へ仕事の入ってる状態じゃ、自分が何をしてるのかも分らないわ」

「今はＴＶとかラジオとか、忙しいですものね」

「演技するっていうのが、どういうことなのか、それを誰も教えない。ただカメラの前でセリフを間違いなくしゃべれば、それでいいと思ってる。でも、あれじゃ、いくらドラマに出ても、少しも上手くならないわ。度胸だけはつくでしょうけどね。それを当人は『上手くなった』と誤解してしまう」

「誰か、しっかりした大人がついてるといいんですよね」

「そうね。でも——年寄のグチね、これも。昔は良かった、って」

「グチを言う方もいなくては」

と、爽香が言った。

「英子さん」

と、山本しのぶが声をかけてくる。「お願いしますって」

「分ったわ。——すむまで待っててね」

と、爽香の方へ言って、英子は立ち上った。

隣のセットは、小さな喫茶店である。

「じゃ、リハーサル行きます」

と、声がスタジオの中に響く。

爽香は、ふとバッグから携帯電話を取り出した。

もちろん、本番中に鳴り出したりしたら大変なのでマナーモードにしてある。何か着信がないかと見ると、明男からかけて来ていた。

何だろう?

爽香は少し気になったので、スタジオから廊下へ出ると、小さなロビーで明男のケータイにかけてみた。

運送の仕事なので、会社から持たされているのである。

「——あ、もしもし、明男? 電話くれた?」

「うん。留守電に入れとこうと思ってたんだ」

「何かあったの?」

「今夜、帰りは結構《けっこう》遅くなりそうなんだ。心配しないでいいから、ってことさ」

「遠出?」

「急な仕事でね。大学生グループのスキーを軽井沢へ運ぶんだ」

「ご苦労様。道は大丈夫なの？」

「ニュースでは、問題ない。ただ、向うへ行って、スキーを下《お》ろして、こっちへ戻るから、時間がかかりそうだ」

「焦《あせ》らないでね。帰りを急いで、事故なんか起さないようにして」

「大丈夫だよ。向うを出るとき、また電話する」

「うん、分ったわ」

「君は今、どこ？」

「TVドラマの収録をしてるスタジオ。ね、花房ルミ子がいるわよ」

「へえ、サインもらってくれよ」

「だめよ、向うは忙しいわ。私のサインで我慢《がまん》しなさい」

と、爽香は言ってやった。

通話を終えて、爽香がケータイをバッグへ戻していると、スタジオの中から、ひどくあわてた様子で若い男が数人、出て来た。

こんなとき、爽香はいつも英子の身に何か起きたのではないかとハッとする。

「ルミ子、見ませんでした？」

と、声をかけて来たのが、花房ルミ子のマネージャーであるのを思い出した。

「見ませんけど……。中じゃないんですか」

いないから捜《さが》しているのだとは分っていても、つい訊いてしまう。

「そっちを見てくれ！」

マネージャーとスタッフが左右へ分れて駆け出して行った。

何があったのだろう？

人気のあるタレントとなると、自由に歩き回ることもできない。自分の選んだことなのだと言ってしまえばそれまでだし、芽が出ずに終る大多数の子たちから見れば、「忙しくて自分の時間がない」ほど売れているのは羨しい状況だろう。

それでも、爽香よりずっと若い——時には小学生だったりする——子が、大人の組んだスケジュールの中で駆け回っているのは、可哀そうな気がする。

「もうやめてよ！」

どこかで声がした。

あの声……。あれ、花房ルミ子じゃなかった？

でも、どこから聞こえたのだろう？

ずいぶん近かったような気がするけど。

爽香は周囲を見回して、廊下から、ガラス張りの向うの庭へ出るドアがあるのに気付いた。

自動販売機のかげになっていて、ちょっと見たくらいでは気が付かないのである。

そのドアが少し開いていた。

爽香が近付いて、庭の方を覗くと、黒いシルエットの人影が一つ、たたずんでいた。――一つ? いや、見ているとそれは二つに分れた。

「もう行って。誰かに見られたら……」

確かに、花房ルミ子の声だ。

相手は、彼女より大分背丈があり、男らしいということは分ったが、それ以上は何も見えない。

その人影は黙って庭の奥へ消え、花房ルミ子は、離れている爽香にもはっきり聞き取れるほどの、大きな、せつなげなため息をついた。

爽香はそのドアから離れて、スタジオの方へ戻ろうとした。

ドアの閉る音がして、花房ルミ子が入って来る。

「今、マネージャーさんが捜してましたよ」

と、爽香が言うと、

「どっちへ行った?」

「マネージャーさんは向うです。今、スタジオに戻れば、中にずっといたって言い張っても通用しますよ」

爽香の言葉に、ルミ子はちょっとびっくりしたようだったが、

「でも――呼んだでしょ、中で何回も」

「あんまり眠かったんで、セットのかげで眠ってた。そう言えば大丈夫」

ルミ子が、それを聞いて、ちょっと笑った。

「通じるかしら」

「そこは演技力。目薬、持ってます？」

「ええ」

「それをさして、少し潤《うる》んだ目にしておくと、本当らしいですよ」

「――やってみるわ。ありがとう」

と、ルミ子は言って、「あなた……」

「早く中へ！　戻って来ますよ、マネージャーさん」

爽香がスタジオのドアを開けて、「――今、みんなこっちを見てません。急いで」

ルミ子が入って行くと、爽香は廊下に残って、ドアを閉めた。

とたんに、あのマネージャーが息を切らして戻って来る。

「ここで――」

「花房ルミ子さんですね。見てません。ずっとここにいたけど」

と、爽香は澄まして言った。「中をちゃんと捜しました？」

「当り前だよ」

「絶対に百パーセント完全に？」

こう訊かれて、はっきり「イエス」と答えられる人間は少ない。

マネージャーも不安そうに、

「見たはずだけど……」

と言いながら、スタジオへと入って行ったのだった……。

6　来訪者

「お帰りなさい」

〈Ｐハウス〉へ戻ると、受付の同僚が爽香に言った。

「栗崎様は、マネージャーの方が送ってみえるって」

と、爽香は言った。

自分の担当している入居者が、今どこで何をしているか、一応つかんでおく必要がある。

しかし、お年寄といっても千差万別。

「爽香さん。この間の――」

と、受付の子が声をひそめて、「どうなった？」

「食堂の騒ぎ？　どうにもなんないわよ」

と、爽香は肩をすくめて、「私たちも、一人一人のプライベートライフにまで口は出せないもの」

「そうよね」

「どうかしたの？」

「ちょっと……。今、いい？」

「いいけど」

受付の子が、チラッと奥の事務室を覗いて、

「今、誰もいないわ。――あのね、前田《まえだ》さんって……」

「ああ、ちょっと派手な格好《かっこう》の」

「ちょっと、どころじゃないけどね」

七十をいくつか過ぎているといっても、まだまだ達者な男性で、奥さんは数年前から寝たきりになっている。

「お隣さんから苦情が来るの。夜、声がうるさいって」

「声？」

「それが、夜、たいてい遅いでしょ、あの人。受付にも人がいないころ帰ってくるんで、分らないけど、二十代の女の子を連れて来るらしいの」

「へえ」

「それで夜中の二時、三時まで頑張ってるっていうんだから！　ねえ、こっちも訊きにくいし」

「難しいね。恋愛するな、とも言えないし」

老いても、まだまだ元気な人は少なくない。

男も女も、性を楽しむ体力があるというのは悪いことではない、と爽香は思っている。

「——でも、放《ほ》っといていいと思う？」

と訊かれると困ってしまう。

「うーん……。ともかく、ここの規定として、家族以外泊めてはいけないってことになってるんだから、その点で本人に注意するのがいいんじゃない？」

「言いにくいわ。爽香さん、言ってよ」

「それは担当の人がやらないと」

と、爽香は言った。「でも、心配なのは、どんな女の人を連れて来てるか、だわ」

「どんな、って？」

「普通のガールフレンドならともかく、お金を払って連れて来た女性だと、悪いのが後ろについてる場合があるでしょ」

実際、よほど時間をかけて付合《つきあ》った上でならともかく、七十代の男性の部屋へ泊《とま》っていく二十代の女の子となると、「お金がありそうだ」と思ってついてくる場合が多いだろう。口実をつけて、金をゆすり取ろうとする手合《てあい》がいないとも限らない。

そういうもめごとが起ると、他の入居者にも迷惑が及ぶことになる。

「——分った。じゃ、今度、それとなく話してみる」

と、爽香は肯いた。

「ありがと!」

と、拝《おが》まれてしまう。

「ジムを見てくる」

簡単なものながら、スポーツジムがあって、プールもついている。

誰がそこで運動しているかもつかんでおく必要があるのである。むろん、専任のスタッフがついているのだが。

爽香は、ジムを覗いて、汗を流している入居者に話しかけたりしながら、つい、「まだ若いつもりでやり過《す》ぎる」人には休むように注意したりする。

——三十分ほど過《す》ごしてロビーへ戻った。

「やあ、君だったね」

という声が、ズンとお腹に響く。

「あ……。どうも先日は」

と、爽香は足を止めて、「喜美原さん、今日は栗崎様とお約束でも?」

あのバリトン歌手、喜美原治だったのである。

「いや、そういうわけじゃない。もしいれば会って行きたいが」

「お仕事なんです。お戻りは夜になると思いますけど」

「それなら、無理にというわけじゃないよ」

「あの——お体の方はいかがですか」

「ありがとう。もう何ともない」

実際、喜美原は血色も良く、肌もつやがあって、元気そうに見えた。

もちろん、爽香も大勢のお年寄を見て来て、血色がいい人はしばしば血圧が高くて、却《かえ》って「危険」な場合があると分っている。

「今日はね、ちょっとここを見せてもらいたくて」

と、喜美原は言った。「栗崎さんが入居しているというので、関心は持っていたんだが」

「それはありがとうございます」

「案内してもらえるかね」

「はい、もちろん。商売ですから」

と、爽香は微笑んだ。「じゃ、中をザッとご案内します。お時間の方は」

「うん、一時間ほどですませてくれるとありがたい」

「かしこまりました」

書類等を見せての説明に十五分として、三十分くらいで案内しなくてはならない。爽香は頭の中でルートを作りながら、喜美原をエレベーターの方へと案内して行った。

「ここでいいんですね」

と、明男は念を押した。

「うん。どこかその辺に置いといて」

ホテルのフロントは、まだ新人らしい若者だった。

――小型トラックで、スキーを運んで来たのだが、軽井沢までは思ったより早く着いたものの、ホテルがいくつもの棟に分れていて、その中のどこへ届ければいいか、伝票になく、一つ一つ当って、ずいぶん時間をとってしまった。

一つのコンピューターに宿泊客の名前は入っているはずだが、客ならともかく、宅配の配達人には、見下《みくだ》した態度を取るホテルマンが多い。

普段、いつも客に頭を下げ、愛想《あいそ》良くしなければならない職業の人間ほど、出入りの業者などをすぐ怒鳴《どな》りつけたりするものだ。

一種のストレス解消、うっぷん晴らし、というところがあるのだろうが、いつか爽香がそんな光景を見ていて、言ったことがある。

「あの怒鳴られてる人だって、お客になることもあるわけでしょ。そのとき、こんなホテル、絶対に選ばないだろうからね。自分で客を減らしてるんだよね」

本当の意味で「プロ」と呼べる職業人は少ないものだ。

明男はロビーの隅に、スキーを運んで置いた。

「すみません、伝票にサインをいただけますか」

と、フロントへ行くと、

「誰がそんな所に置けって言った？　そこはお客が通るから邪魔だろ！」

と文句を言われる。

「すみません。どちらへ置けばいいでしょうか」

「どこか――邪魔にならない所だよ。それぐらい分るだろ！」

こんなことでムッとしていては、宅配の仕事などできない。

「すみません。動かします」

と、スキーの方へ戻ろうとすると、

「おい」

中年の、フロントのベテランらしいホテルマンが声をかけて来た。「ちゃんと言ってやらなきゃ、分るわけがないじゃないか！　どちらのお客様のだ？」

叱《しか》られているのは、新人のフロントの若者だった。

「ええと……伝票がそこに」

「お客の名前も見ないで受け取ってどうするんだ」

と、伝票を手に取ると、「――ああ、これか。君、悪いけどね」

明男の方へ声をかけて、

「そのスキー、客室へ運んでくれるか？　今、ベルボーイが出払ってる」

「はい、もちろん」

「そこの台車を使ってくれ。エレベーターで三階に上って、〈３０４〉と〈３０５〉だ」

「分りました。伝票の方は――」

「僕がサインしておく」

ロビーに放り出して行って、なくなったりするより、部屋まで届けた方が確かだ。

明男は台車にスキーを積み、エレベーターの方へ押して行った。

三階で降りると、〈３０４〉〈３０５〉はすぐに分った。――というより、二つともドアを開け放して、何人もの大学生らしい子たちが行き来している。

「スキーをお届けに来ました」

と声をかけると、

「あ、スキーだって！　もう来たよ」

「早いわね！」

女子大生らしい、可愛《かわい》い顔立ちの子が出て来て、「ありがとう。その辺に置いて」

「二部屋ですね。運びますよ。重いですから」

「そう？　悪いわね。――みんな！　自分のスキーを見て！」

結局、明男は部屋の中まで、一つずつスキーを運ぶことになった。

「ありがとう」

「いいえ。お邪魔しました」

明男は一礼して、空の台車をガラガラとエレベーターの方へ押して行った。

「ね、待って！」

と呼ばれて振り向くと、さっきの女の子が足早にやって来る。
七、八人のグループの中で、どうやらこの子がリーダー格らしい。きちんと大人の言葉づかいのできる子らしかった。
「何か」

「あの、これ」

と、ティシューに包んだお札を明男の手に握らせる。

「いや、いいんですよ。僕は運送屋ですから。ホテルの者じゃないんで」

「いいえ。中まで運んでいただいて。受け取って下さい。ね？」

あまり固辞してもいけないだろう。

「じゃ、いただいておきます。どうもありがとうございます」

「いいえ」

笑顔は爽やかだった。「東京の方？」

「そうです。三宅《みやけ》様っていう方のご自宅の近くなんで、至急運んでくれと」

「そうなの。みんな、誰かが手配してると思ってたのよ。ドジな話ね」

「こちらは仕事ですから」

「私がその三宅の娘よ」

と、女の子は言った。「帰りも運んで下さる？」

「さあ、それは……。ホテルの方で、委託してる宅配業者があると思いますから。フロントに言えば——」

「あなたに来てほしいの」

と、その女の子は言った。「いいでしょ？」

明男は笑って、

「分りました。それじゃ……ここへお電話を」

「あなたのケータイは？」

「書いときますか？——じゃ、これで」

「ありがとう。じゃ、よろしくね！」

と、戻って行きながら、振り向いて、「私、三宅舞《まい》。〈舞う〉っていう字一字よ！」

と、その女の子は言った……。

風は凍《こご》えるように冷たかった。

校門を出るとき、布子は、守衛に会釈した。いつもなら、ひと言ふた言、話したりするのだが、今夜はその元気もない。

冬休みが近いが、その前に試験があり、布子の仕事はふえこそすれ、減ることはなく、毎夜遅かった。

外へ出て歩き出すと、

「遅いですね」

と、声がした。

布子は、野口刑事の姿を見て、一瞬寒さを忘れて立ちすくんだ。

7　めぐり会い

「台車、返しときました」

と、明男はフロントの中年のホテルマンに報告した。

「ありがとう。ベルボーイの仕事までやらせて悪いね」

「いえ、そんな……」

「何しろ不景気のせいで人を減らしてるんだ。ベルボーイのアルバイトも例年の半分しかいない」

と、そのホテルマンがため息をつく。「まだ今はスキー客も多くないが、シーズンのピークにはどうなるか、想像するだけで怖いよ」

明男には、現場で、直接客の苦情にさらされる、こういう立場の人間の辛さがよく分った。

「いや、君にこぼしても仕方ないな」

と、そのホテルマンは笑って、「僕はここのチーフで、会田《あいだ》だ」

「N運送の杉原といいます」

と、明男は言って、「あの――」

「何だね？」

「今お届けした三宅様から、帰りも運んでくれと言われましたが、こちらの出入りの業者さんでないとまずいんじゃ……」

「三宅さんのお嬢さんか」

「ご自宅が、うちの営業所のすぐ近くなんで……」

「構《かま》わないよ。三宅様のご希望なら、断《ことわ》れやしないさ」

あの女子大生の親は、よほどの常連客なのだろう。

「じゃ、もし連絡が入ったら伺《うかが》います」

正直なところ、あの子は数日スキーに熱中したら、明男のことなど忘れてしまうだろう、と思っていた。

「――じゃ、これで」

と、明男が行きかけると、

「君、ちょっと」

と、会田が呼び止めた。「これから東京へ戻るのか？」

「そうです。道、空いてますから、たいしてかかりません」

「しかし、晩飯《ばんめし》抜きだろ？」

会田はポケットからチケットのようなものを出して一枚切ると、「これを持っていけば、そのレストランで何でも食べられる」

「はあ。でも……」

「ちゃんと腹ごしらえして行かないと、腹が減って目が回るよ」

「ありがとうございます」

会田はすぐに呼ばれて行ってしまったので、明男はチケットを手に、レストランの入口へおずおずと近付いた。

中は結構混んでいる。

このまま帰ってしまおうかと思ったが、あの会田という人の好意を無《む》にするのも申しわけない気がした。

とはいえ、明男は勤め先のジャンパーを着ているから、泊り客でないことは一目《ひとめ》で分る。店内がガラ空きのときならともかく、混んでいるときに入っていいものかどうか……。

明男は、仕事の上でなら、何を言われても受け流すことができる。しかし、一旦《いったん》仕事を離れてしまうと、人から「うさんくさい奴《やつ》だ」と思われるのが怖くなる。

入口の辺りで、行くか戻るかとためらっていると、背後に足音がして、

「あら、一杯？」

という声がした。

レストランの人間が飛ぶようにやって来て、

「いえ、大丈夫でございます！　ご用意いたしますから」

「でも、こちらがお待ちでは？」

――信じられなかった。

こんなことってあるのか？

「いえ、そういうことでは……」

と、レストランの男は、けげんな顔で明男を見た。

もう二、三秒、そのままだったら、明男は、「客扱いする必要のない奴」と決めつけられていただろう。その前に、明男は振り返っていた。

「――まあ」

と、祐子が言った。「ここで何してるの？」

「ここの泊り客の荷物を運んで来た」

と、明男は言った。「偶然だね」

「本当に……。まあ！　何てことでしょ！」

祐子は笑顔になった。「食事するの？　じゃ、一緒に食べましょうよ」

「だって……ご主人は？」

「私一人で泊ってるの。――色々、疲れることがあってね」

祐子は、店の男へ、「同じテーブルで。古い知り合いなの」

とたんに態度が変った。

「さようでございますか。——どうぞ、奥の方へ」

奥の方、ちょっとした柱に隠れる格好《かっこう》の一画に、いくつかテーブルがある。

「君の定位置か」

と、明男は椅子にかけて言った。

「ええ。毎日食べに来てるんですもの。——このホテルにはよく来るし」

やっと、祐子の顔を正面から見て、

「少しやせたか？」

「たぶんね。——あなたもやせて見えるけど」

「出たころに比べりゃ、ずいぶん太ったよ」

「そうでしょうね」

と、祐子は肯いた。「——食事、私に持たせてね」

「いや、タダ券をもらってる」

「え？」

明男が事情を話すと、祐子の口もとに、ふしぎな笑みが浮んだ。

ウェイターがオーダーを取りに来て、明男は〈今日の定食〉を頼んだ。あまり安いものを頼んでも、却って失礼かと思ったのだ。

祐子はサラダとパスタを頼んで、

「ミネラルウォーターをちょうだい。こちらにもね」

と、付け加えた。

「水はあるよ」

「飲まないで。水道の水よ。おいしくないの」

と、祐子は言った。

「僕は平気だけど……。ま、それじゃ『おいしい水』が来るまで待とうか」

明男はそう言って、「――今、どうして笑ったんだ?」

「あなたがちっとも変らないから」

「そうかな」

「気を悪くしないでね」

「ああ、そんなことないけど……。変らないって、どんな風に?」

祐子はちょっと笑って、

「どんな風に変った、っていうのは分るけど、どんな風に変らないか、って言われてもね……。

でも、私は嬉《うれ》しいの」

「嬉しい?」

「あんな——あんなことがあっても、明男は変ってない。一番あなたらしいところがね。だから、みんながあなたのために、何かしてあげたくなるのよ」

「そうかな……」

「不満？　けなしてるわけじゃないのよ」

「分ってる。君の言いたいことは……」

「いい人なの、あなたってね」

と、祐子は言った。「良かったわ。以前愛した人が、本当はろくでもない人だったなんて思い知らされたら、やり切れないでしょ」

「——いい人か」

「爽香さんも、あなたのそういうところに惚《ほ》れてるのよ」

と、祐子は言った。「彼女、元気？」

「うん。君のご主人に、ずいぶん助けてもらったって感謝してる」

「爽香さんの力よ。私にはとても真似《まね》できない」

祐子は、ミネラルウォーターが来ると、グラス一杯、ほとんど一息で飲み干した。そして息をつくと、

「まだなの？　——赤ちゃんは」

「いや、まだ……。僕の稼《かせ》ぎじゃ、大変だよ」

「そんなこと心配しなくても。何とかなるわよ。私――流産したの。それで、ここに来てるわけ」

と、早口に言った。

明男は、一瞬言葉を失って祐子を見つめていた。そのとき、

「今晩は」

と、奥のテーブルに案内されて来たのは……。

「あら、今夜は早いのね」

と、祐子が言った。

「午後、プールで泳いだら、お腹空いて……。あ、さっきの」

三宅舞が、仲間と一緒にやって来たのだった。

「――お知り合い?」

舞が好奇心一杯の目で、明男と祐子というふしぎな取り合せを眺《なが》める。

「古い知り合い」

祐子が冗談めかして、「昔の恋人なの」

「ワオ」

舞が両手を合せて、「ドラマチックだ!」

「邪魔しないで、子供は」

「はいはい」

明男は汗をかいていた。

食事が運ばれて来て、ホッとした、というのが正直な気持だった。

しかし――祐子の「作った明るさ」は、彼女の心の傷の深さを垣間見《かいまみ》せていたのだ。

それきり二人はその話には触《ふ》れず、当り触《さわ》りのない世間話をしながら食事をしたのだった……。


「――傷のあとはどう？」

と、布子は一緒に歩きながら言った。

野口は、ちょっと肩をすくめ、

「ま、季節の変り目ってやつですかね。時々痛みます。でも、気にしないようにしていますよ」

かつて布子の夫、河村の部下だった野口刑事は、幼女殺害事件の犯人に刺され、重傷を負った。河村が胃をやられたのは、その野口の負傷に責任を感じていたことも一因である。

「大丈夫なの？　仕事が体にさわらない？」

「そんな心配してられません。忙しいんで……」

野口は首を振って、「河村さんに抜けられたのは痛かったです。今、一番必要な人材なのに……」

「うまくいかないものね」

と、布子は言った。「あの人、すっかり気が抜けたようになっちゃって……」

「この間お会いして――いえ、偶然ですが、もちろん。何だか、やはり老けられましたね」

「パッと気持を切り換えられる、器用な人ならいいんだけど……。でも、あの大手術の後ですものね、激しい任務には堪えられないでしょう。当人も頭じゃ分ってるはずですけど」

夜風は凍えるほど冷たかった。

野口はコートのえりを立てて、

「タクシーを拾いましょう。僕はどうせ本部へ戻ります。お宅まで送りますよ」

「でも――」

「ああ、ちょうど空車が来た」

野口が空車を停め、布子はせかされるままに乗り込んだ。

乗ってみれば、やはり暖《あたた》かさに、こわばっていた体もほぐれる。

「――すみません」

と、布子は言った。

「忙しいんですね、あなたも」

「ええ。教師ですから、仕方のないことですけど……。でも、他のすべてを犠牲《ぎせい》にしてまで、こんなことをしていなくてはいけないのかしら、と……」

「子供さんたちは寂しいでしょうね。でも、やさしいご主人がおいでじゃないですか」

——野口は、去年の事件以来、布子に思いを寄せている。

布子もむろん気付いているが、現実には一歩も踏み外すことのない自分であることも、よく分っていた。

「——あら」

布子は、何気なくバッグからケータイを取り出して見ると、「うちからかかってるわ。何かしら」

着信記録を見て、布子は急いで自宅へかけた。

「——もしもし。——爽子ちゃん？　ケータイにかけた？」

「うん……」

「どうしたの？」

「お腹空いた」

布子の顔から血の気《け》がひいた。

「お父さんは？」

「帰って来ないよ」

「じゃあ……何も食べてないの？　ごめんね！　すぐ——すぐ何か買って帰るから」

「私より、達ちゃんが――」

「あと――十分くらいで。ね、もう少し我慢してて」

「うん」

爽子は明るい声になった。「良かった」

「何が？」

「私、お父さんとお母さんに捨てられたのかと思った」

「まあ……」

ＴＶドラマなどで見て、色んな言い回しを憶える。しかし、布子は胸を深く刺される気がした。

「――どうしたんです？」

と、野口が訊く。

「そこの角を左へ。家の近くのコンビニの所で降ろして下さい」

布子は、窓の外へと目をやった。

「奥さん――」

「あんな人じゃなかったのに……。子供がお腹を空かしてるのを放っとくなんて、決してしない人だったのに」

「河村さんが？　――何があったんです？」

布子は話す気になれなかった。

少なくとも、今は。——今は、早く、温《あたたか》いお弁当を買って、家で待っている子供たちの所へ帰ることだ。

コンビニの明りが見える。

布子は、救われたような気がした。

8 妨害

「まあ、喜美原さんが？」

と、栗崎英子は、自分の部屋へ入ると、「——上って。ね、少しぐらい大丈夫でしょ」

「はい。お邪魔します」

爽香は英子の部屋へ上った。

「それで、あの人、何て？」

「ここをご覧《らん》になりたいとおっしゃったので、一通《ひととお》りご案内しました」

「まあ。ここへ入るつもりかしら」

「その辺は何とも。——でも、入居の条件なども、詳しく訊いて行かれました」

「へえ。でも……。まあ、私は嬉しいけどね、入ってくれれば」

「ただ……」

と、爽香が口ごもった。

「何か問題が？」

「健康診断がございますので」

「ああ、そうだったわね。この間倒れたし。何も問題なしとは思えないわね」

と、英子は肯いて、「さ、もうお風呂に入って寝るわ。ありがとう」

「いえ。明日はお早いんですか？」

「昼ごろスタジオへ入ればいいの。出番が初めの予定の倍くらいにふえちゃったのよ」

「ファンの方の要望が多いんですね」

「というより……脚本家がね、売れっ子の若い人ばっかり出してると、ちっともドラマにならないって嘆《なげ》いてるの」

と、英子が苦笑した。

そこへ、電話が鳴る。

「受付からですね」

と、爽香が取って、「——はい、杉原です。——え？　——分りました。ちょっとこのまま待って」

と、送話口を手でふさぎ、

「ご面会の方が」

「こんな時間に？」

「あの、喜美原様の伴奏をなさった、片桐輝代さんです」

一階へ下《お》りて行くと、もう閑散《かんさん》としたロビーのソファに、片桐輝代が座っていた。

「――この間はどうも」

と、英子が微笑んで、「ごめんなさい、こんな所で。規則でね、他人を部屋へ上げちゃいけないの」

「少しも構いません。突然お邪魔して」

「私に何かご用?」

「あの――今日、喜美原先生がこちらへ」

「ええ。でも、私は会ってないの。つい今さっき帰ったばっかりでね」

「そうですか」

「あの子が――爽香さんがお相手したそうよ」

と、英子が振り向くと、爽香が手早くお茶をいれて持ってくる。

「先生は何かおっしゃっていたでしょうか」

「ご希望でしたので、中をご案内しました」

「ここへ入りたいとか……」

「そこまでは。――ご自分のお気持はひと言も口に出されませんでしたよ」

と、爽香が言うと、

「そうですか」

と、片桐輝代は少しホッとした様子で、「恐れ入りますが、先生がここへ来たこと、誰にも言わないで下さい」

「ええ、もちろんです。あなたですからお話ししただけで」

と、爽香が言うと、英子が、

「何か、知れるとまずいことがあるの？」

と、片桐輝代に訊いた。

「――実は、先生がこういう類《たぐい》のマンションに関心を持たれていることが知れて、一騒動あったものですから」

と、輝代は目を伏せた。

「どういうこと？」

と、英子は訊いた。「あの人、子供さんがいるの？」

「はい。一度離婚されて……」

「それは私も知ってるけど。――子供がいるって、初耳だわ」

「先生も、数年前までご存知《ぞんじ》なかったそうです。ある日、その別れた奥さんから手紙が来て、重病で先がないというお話でした。それで先生は会いに行かれたんです。――病室に、若い娘さんがいて、奥さんはその子が、離婚した後に生れた先生の子だと……」

「確か、離婚っていっても十年くらい前でしょ？」

「十五年前のことです」

「十五年！　もうそんなにたつのか」

と、英子は首を振って、「――じゃ、その子は……」

「十四歳。確か今、中学生です」

「へえ。でも、本当に喜美原さんの子なのかしら？　それならどうしてずっと黙ってたの？」

「ご自分で育てるつもりだった、とおっしゃったそうです。ところが思いがけず病気になって、やはり父親である先生に頼らないわけにいかないと……」

「そう」

「あの――人に話してはいけないと言われているんです。すみません」

と、輝代は頭を下げた。

「いいのよ。もちろん、他の誰にも漏《も》らしたりしないわ。私と、この爽香さんのことは、信じてくれて大丈夫よ」

「はい。――それじゃ失礼します」

片桐輝代は、何だか少しあわてた様子で帰って行った。

英子は、少しふしぎそうに、

「どうしたのかしら？　いやにあわてて帰ったわね」

「ケータイが」

と、爽香が言った。

「え？　鳴ってた？」

「あの人のバッグの中で。マナーモードになっていましたから」

「じゃ、聞こえないわけだ。私の年じゃね」

「チラッとバッグを開けて、中を覗いていました。誰からかかったか知って、急いで帰ることにしたのだと思います」

英子は爽香を見てちょっと笑うと、

「あなたって、本当に探偵に仕事を変えても良さそうね」

と言った。

「でも、今のお話……」

「気になるわね。もちろん、喜美原は有名かもしれないけど、歌謡曲の歌手じゃない。蓄《たくわ》えだって、大したことないと思うわ」

「でも、わずかのお金でも、狙う人がいます」

「ええ。私も、いやになるくらい、沢山《たくさん》の実例を見て来たわ」

と、英子は肯いて、「一騒動あった、っていうくらいだから、何かよほどのことね」

「娘さんが本当に喜美原さんのお子さんだとしても、まだ十四歳じゃ、現実に喜美原さんの財産をどうとか考えないでしょうね」

「あのね、必ず親戚の中に一人はいるの。あれこれ裏の事情に通じていて、悪賢《わるがしこ》い方にばっかり知恵の働くのが」

「そういう人が……」

「母親は亡くなったんでしょう。だとすれば、その子に近付いて、『後のことは任せなさい。悪いようにしないから』とか言って、自分が甘い汁を吸おうとしてるのよ、きっと」

「大したことにならないといいですね」

と、爽香はため息と共に言った。

――こういう高級ケア付きマンションでは、元の自宅を売却して入居しているという人も少なくない。

子供や親戚から見れば、マンション会社の人間は、「遺産をかっぱらって行った奴」と映るのだろう。

「では、今日はこれで失礼します」

と、爽香は立ち上った。

アパートへ帰り、着替えしながら部屋の暖かくなるのを待っていると、爽香のケータイが鳴った。

たぶん明男かな、と見ると、布子の所からだ。——出る前に相手が誰か分るというのも、便利なものではあるが、少々意外性が失われて味気《あじけ》ない気もする。

何ごとも、便利になるとはそういうことかもしれないが。

「——はい、爽香です」

「あ、ごめんなさい、遅くに」

と、布子が言った。

「ちっとも。どうしたんですか？」

「あのね……」

と、布子は口ごもって、「主人から何か連絡して来てない？」

「河村さん——帰ってないんですか」

「それが……」

布子から、河村が妻の帰りが遅いと分っていながら、子供たちに夕食をとらせることもせずに帰宅していないと聞いて、さすがに心配になった。

「それって、具合でも悪くなったんじゃ——」

「私もね、初めは腹立ててたんだけど、子供たちにご飯食べさせて寝かせてから、少し落ちついてみると、心配になって来て」

「河村さんの職場とか、連絡してみましたか？」

「してみたけど、この時間は誰もいないの」

「そうですか……。河村さんのケータイも――」

「電源が入ってないって……。もし、どこかで倒れてるとか――」

「警察の以前の仲間の方に連絡して調べてもらえばいいですよ」

と、爽香は言った。

「そうね……」

布子がためらっている気持は分った。

河村が、もし何でもなかったとき、後でそうと知ったら怒るだろうと思えたからだ。

しかし、今はそんなことを言っている場合ではない。

「――何か分ったら連絡するわ」

と言って、布子が切る。

爽香は、ちょっと考え込んでいたが、

「ま、うちにはうちの亭主あり、だわ」

と、立ち上った。

台所へ立つと、すぐに玄関のドアを叩《たた》く音がした。

明男なら、自分で開けて入ってくる。

「――どなたですか?」

とドア越《ご》しに訊くと、

「すまん、河村だ」

「あ……。はい、すぐ」

急いでドアを開けると、「河村さん、どうしたの？　今、先生から——」

と言いかけて、河村が一人でないことに気付いた。

廊下に、コートをはおった若い女性が立っている。

「すまない」

と、河村は言った。「この人……具合が良くないんだ。少し休ませてやってくれないか」

確かに顔色が悪く、立っているのも辛そうだ。

「——どうぞ」

と、爽香は彼女を中へ入れて、「私も今帰ったんで、部屋が少し冷えてますけど」

「すまない。少し休めば大丈夫だと思うんだけど」

それは河村の希望的観測だろう。

爽香は、奥の部屋に布団を敷《し》くと、

「スーツだけ脱いで。体を楽にして寝てて下さい」

と言った。

「ご迷惑かけて」

「病気のときはお互いさまです。——さ、布団かけますね」

「ありがとう……」

——爽香は、一旦戸を閉めて、

「河村さん、お宅で心配してますよ！」

と、小声で言った。

「すまん。——分ってたんだが」

河村は、別人のように疲れ、老け込んで見えた。

「うちの電話だと、私のだと分っちゃうから。自分のケータイで、すぐ先生にかけて、心配ないって言ってあげて」

「うん……」

「遅くなったわけは、たぶん、先生訊かないと思う」

河村は奥の部屋の方へ目をやって、

「悪いとは思ってるんだ……」

と、呟いた。

「早くかけて！　河村さんらしくないよ」

と、爽香はわざと河村の肩をポンと叩いて元気よく言った……。

9　問題の芽

「うん、じき帰るから。——すまない。突然のことでね」

河村は、「すまない」と何度かくり返していた。

通話を終えると、

「——ありがとう」

と、爽香に言った。

「明男も、軽井沢まで行ってて。そろそろ戻ってくると思うんですけど」

と、爽香は言った。

河村はネクタイを緩《ゆる》めると座り込んで、

「気にはなってた。でも、布子のケータイにかけても通じなくて」

「河村さん……」

「親失格だな。子供が腹空かしてるっていうのに」

「そんな風に、自分に愛想をつかさないで」

と、爽香は言った。「まずかったと思えば、もうやらないようにすればいいんですよ。爽子ちゃんだって、達郎ちゃんだって、お父さんのこと、大好きなんだから」

「うん……。君の言う通りだ」

河村は奥の部屋の方をうかがって、「気分が良くなったようなら、連れて帰ろう」

「今、眠ってますよ」

と、爽香は小声で言った。「学校の保健の先生ですよね」

「うん……。早川志乃君というんだ」

「明日も学校ですか」

「いや、明日は休みなんだ。それで少し酒が過ぎて……」

「じゃ、ここへ泊っていけばいいわ。河村さんは、早く帰ってあげて」

「そんな迷惑を――」

「どっちにしても迷惑です」

と、言ってやった。「夫婦ゲンカのグチを持って来られるのも」

河村は笑って、

「悪いなあ。それじゃ頼むよ」

「ええ、狭い所ですけど、女の人一人ぐらい寝てたって、どうってことないです」

河村は、爽香にくり返し礼を言って、帰って行った。

爽香は奥の布団で寝ている早川志乃のそばへ行くと、少しの間、様子をうかがった。

——大丈夫。本当に眠っているようだ。

それにしても……。

爽香はため息をついた。

あの河村が——。こんなことになるとは。

もちろん、恋愛というものはどっちが悪いというわけではない。河村のやり切れない思いも分るし、といって教師としての任務を放り出すことができない布子の立場も、充分に理解できる。

早川志乃。——今、ここで眠っている女性が悪いことにしてしまえば簡単かもしれないが、その寝顔には、一種のあどけなさ——といっては、年上の女性に対して失礼かもしれないが——さえ感じられる。

ただひたむきに河村へ思いを寄せて、そのとき、たまたま河村が生きがいとしていた職場を奪《うば》われた。やり切れなさを慰《なぐさ》めるべき妻はあまりに忙しく、確かに深く愛し合っている夫婦の間に、わずかな亀裂が走ったのだ。

河村に恋する女が、その隙間《すきま》へ身を滑《すべ》り込ませたからといって、責められるだろうか。

でも……。爽香は、早川志乃の寝顔を眺めながら、ある不安が頭をよぎるのが分った。

玄関の物音で、我《われ》に返る。

爽香が立ち上ると、ドアが開いて、明男が入って来た。

「ただいま！　疲れたよ！」

「しっ！」

と、あわてて指を唇に当てて、「今、お客さん」

「客？　――誰？」

明男は奥の部屋を覗いて、ふしぎそうに爽香を見た。

「河村さんの……」

爽香は小声でそれだけ言った。

「へえ……」

明男は物珍《ものめずら》しげに、寝ている早川志乃をチラッと見て、「――くたびれたよ」

と、小声で言って、ソファに座った。

「ご飯は食べたの？」

「うん。向うのホテルの人が食券くれて、タダで食べて来た」

「あら、良かったわね」

「それがさ、そのホテルのレストランで、祐子にバッタリ会った」

「え？」

爽香は一瞬当惑したが、「――あ、そういえば田端さん、そんなこと言ってた。偶然ね！」

「うん。向うも一人で来てると言ってたんで、一緒に食事したよ」

「何か言ってた？」

「流産したって。明るく見せてたけど、やっぱり寂しそうだったな」

「週末にはご主人が行くわ」

「それがいいな。あんな所で何もしないで一人でいたんじゃ、元気になれないよ」

明男は伸《の》びをして、「腹一杯食ったら、帰りに眠くなって参ったよ」

「だめよ。少しでも眠気がさしたら運転しちゃ」

「分ってる。自分で心得てるさ」

と、明男は言った。「風呂に入ろうかな。お湯は？」

「まだなの。ごめんね。帰ってすぐ河村さんがあの人と――」

爽香が、言葉を切った。

早川志乃が立っていたのである。

スーツを取りあえず身につけたという様子で、髪の乱れはそのまま、どこか思い詰めた目で爽香と明男を見つめている。

「起しちゃいましたね。ごめんなさい」

と、爽香は言った。「よく眠ってらっしゃるようだったんで、もし良かったら、ここへ泊っていかれたら、と思って――」

「あの人は？」

と、早川志乃が訊いた。「どこへ行ったんですか」

「河村さんは、お宅へ帰られましたよ。あなたのことはくれぐれも頼むと言われて」

「いつごろですか？　どれくらい前に？」

「たぶん――十分くらい前じゃないかと思いますけど」

「じゃ、まだそんなにたっていませんね」

志乃は、急いでコートをつかみ、バッグを手にすると、「お邪魔しました」

と、玄関へ出て行く。

止めることはできなかった。――その、何かにせき立てられているかのような勢いを、誰も止めることはできなかったろう。

爽香は、あわてて自分も玄関へ立って行って、志乃が出て行った後、ドアが近所迷惑な音をたてて閉らないように手で押えた。

志乃の足音が遠ざかって行く。

爽香はそっとドアを閉めて、

「――ちょっと、まともじゃないね」

と言った。「恋してれば、誰でもそうだろうけど」

爽香は首を振って、ドアをロックし、チェーンをかけると、浴室へ行って、浴槽にお湯を入れ始めた。

少し時間が遅くなると、お湯を入れる音で迷惑をかけることがあるといけないので、蛇口の下に浴槽のふたを立てかけて、お湯がその上を流れ落ちるようにする。

〈Pハウス〉のような高級マンションの作りではない。音には気をつかう。

「――少し待ってね」

と、爽香が戻って声をかけると、明男は奥の部屋で横になっていた。

「そんな所で寝たら風邪ひくよ」

と、爽香は言って、明男のそばに座った。「――どうかしたの?」

「いや……。今の女の人が河村さんの後を追いかけてくところを見たら、あのときの真理子《まりこ》さんを思い出したよ」

――中丸《なかまる》真理子。

明男が大学生のとき、知り合った教授夫人。彼女との仲がこじれて、明男は彼女を殺してしまった……。

「気になる?」

爽香は明男の胸に頭をあずけて、「でも、一生忘れないでいるのが、真理子さんへの何よりの供養だよ」

「うん。僕もそう思う」

明男は爽香の肩を抱くと、「大丈夫だよ。ただ、恋して周りが目に入らなくなると、みんな似て見えるんだ、と思っただけさ」

爽香は顔を上げ、少し体をずらして明男にキスした。そして、ふっと眉を寄せて、

「河村さん、ちゃんと家へ帰ったかな。途中で早川志乃さんに捕まってなきゃいいけど」

「大丈夫だろ。あれだけたってれば」

「そうね……。必死で追いかけて捜し回って、結局見付けられない。——志乃さんのせつなさにも同情するけど」

「仕方ない。恋ってのは、そんなもんだろ」

「そうだよね。——先生の所へかけとこうかな」

と、爽香は自宅の電話を取り上げた。

「河村さんのケータイは？」

と、明男が訊く。「先生の所へかけると、子供さんが起きるかもしれない」

「あ、そうか。——よく気が付いた」

爽香が、河村のケータイの番号を押すと、すぐに向うが出た。

「——河村さん？　爽香です」

「ああ、さっきはありがとう。今、タクシーの中だよ」

「早川さん、目を覚《さ》まして、河村さんを追いかけて行きましたよ」

「でも、今夜はちゃんと帰って。お願い」

「うん。分ってる」

「河村さん。――あの人、本気ですね」

「ああ……」

「取り返しのつかないことにならない内に、何とかしないと……」

「すまないな、心配かけて。今夜はこのまま帰る。大丈夫だよ」

「ええ、そうしてね。それじゃ……」

爽香は電話を切ると、「――何だか、急にせかせかしゃべって切った」

「何だって？」

「河村さん。――彼女がかけてくると思って、早く切りたかったんじゃないかな」

明男は起きて来て、

「そうだとしても、どうしようもないよ。あんまり考え込まない方がいいぞ」

と、爽香の肩を叩いた。

「うん」

分ってはいるのだが……。

爽香はフッと我に返って、

「いけない！　お風呂！」

と、あわてて浴室へと駆けて行った。

10　課外授業

暗い海の底にでも沈んでいるようだった。

——布子は、ベッドから起き出せないまま、目が覚めて一時間近くもぐずぐずしていた。もう昼近い。

日曜日で、学校は休みといっても、明日までにやらなくてはならないことがいくらでもある。それでも、一人、こうしてベッドの中で寝返りを打ちながら、まどろんでは起き、目ざめてはまたウトウトするのが何とも言えずいい気持だ。

爽子と達郎の二人は、河村が連れて遊びに出ている。——いささか罪滅《つみほろぼ》しのつもりでもあるのか、布子に、

「ゆっくり寝てろよ」

と言って出かけて行った。

とはいえ、普段、ほとんど家の掃除などできないので、こういう休日ぐらい、家の片付けなどをやらなくては、と思っている。しかし、体の方が気持についていけないのだ。

——玄関のチャイムが鳴ったのは、そうしてベッドの中にいたとき。

「帰ったのかしら」

遊びに連れて出ても、外は寒い。そう長く行っていられないだろう。

「はあい……」

欠伸しながら、パジャマのまま玄関へ出て、「——どなた?」

と、一応訊いてみる。

はっきりした返事はなく、やはり夫と子供たちだろうと思った布子は、ドアのロックをあけ、

「お帰りなさい」

と、開けてみて——。

「先生……」

ポカンとして、パジャマ姿の布子を見ていたのは、クラスの桜井登だった。

一瞬にして目が覚めた。

「ごめんなさい! 私、てっきり……」

布子もさすがに焦った。パジャマのボタンが半分くらい外れて、危うく胸がはだけかけていたのだ。

「桜井君、ちょっと待ってね!」

と、あわててドアを閉めたが、外で待たせていたのでは寒いだろうと思い付いた。

急いでボタンをとめると、クシャクシャの髪を手でなでつけて、もう一度ドアを開けた。

「桜井君、ごめんね。入って」

「あの——僕、また今度来ますよ」

と、桜井登は言った。

「何言ってるの。上って。——ね？　先生、今までぐずぐず寝てたのよ。顔洗って仕度《したく》するから、上って待ってて。外じゃ風邪引いちゃう」

「いいんですか？」

「待っててね！」

おずおずと入ってくると、布子から目をそらしつつ、居間に入ってソファにかける。

布子はとりあえず洗面所へと急いだ。

——それでも、顔を洗い、身仕度して居間へ戻るのに二十分近くかかった。

「ごめんね、待たせて」

と、布子は自分で笑ってしまった。「忘れてたわけじゃないのよ。桜井君を呼んだのを」

「でも、楽しかった」

「何が？」

「眠そうな先生が見られて」

「いやね、やめてよ」

と、少し赤くなる。

とりあえず紅茶などいれたが、いつ夫たちが帰ってくるか分らない。

「ね、桜井君、先生の都合で悪いんだけど——」

と、布子は言った。

「何ですか？」

「先生、今日は寝坊しちゃったの。いつも、お休みの日に、お掃除とかお洗濯をするようにしてるんだけど、今日はまだ何もしてないの」

「じゃ、僕、帰った方がいいですね」

登は格別《かくべつ》がっかりした風でもなかったが、布子としては、自分から「遊びにいらっしゃい」と言っておいて、自分の都合で帰らせるのは気が咎《とが》める。

布子はふと思い付いて、

「桜井君、もし良かったら——アルバイトしない？」

と言った。

「アルバイト？」

「もちろん、中学生のアルバイトを禁止してるのは知ってるわ。だから、お金の代りに早めの夕ご飯を一緒に食べていって」

「何するんですか？」

「私のお掃除を手伝うの。——どう？」

登の顔に明るい笑いが浮んだ。

「そんなことなら、僕、アルバイトなんかじゃなくても手伝いますよ」

「それはだめよ。先生が、家の掃除に生徒をこき使ったなんて、そんな恥ずかしいこと」

「じゃ、夕ご飯でいいです。何しますか？」

「初めに——そうね、桜井君、男の子だから力あるでしょ。ゴミを捨てて来てくれると助かるんだけど」

「分りました！」

布子は、桜井登が教室では見たこともないような活発さで立ち上るのを見て、少々びっくりし、またホッとしてもいた。

——どうして学校に来ないの？　何があったの？

その質問は、いつも布子の口から出かかる。けれども、話せるものなら、布子が訊くまでもなく話してくれているだろう。

いつか、桜井登自身が話してくれる日が来る。——それには、対等な人間同士として、まず信頼を得ることが第一なのだ。

「じゃ、始めようか！」

と、布子は立ち上ってポンと手を叩いた。

——一時間ほどして、二人の子を連れて帰って来た河村は、せっせと窓ガラスを拭《ふ》いている登を見てびっくりしたのだった……。


どっしりとした門構えをくぐると、つたの絡《から》んだ洋館が見えてくる。

「——ここね」

爽香は、足を止めてそのレンガ造りの建物を見上げた。——建てられて百年近くたつという、その重味《おもみ》が感じられる。

「何かご用ですか?」

と、ジャンパー姿の男が建物のわきから出て来て言った。「見学やサインはだめですよ」

「栗崎英子さんに呼ばれて」

と、爽香は言った。「マネージャーの山本さん、いらっしゃいますか?」

「何の用ですか?」

と、相手は不信感をむき出しにしている。「身分証を出して」

これには爽香もカチンと来た。

「あなた、お巡《まわ》りさん? 人にそんな口のきき方、ないんじゃないですか?」

「ここはね、立入禁止なんだ。言うことを聞かないと、警察を呼ぶぞ」

「どうぞ」

と、爽香も言い返した。

「待って」

と、洋館の玄関から出て来たのは、花房ルミ子。

「ルミ子さん。外へ出ちゃいけない、って——」

「私、子供じゃないのよ。大丈夫。——その人は栗崎さんの親しいお友だちよ。私、よく知ってるわ。杉原さん、ご案内します」

「どうも」

と、爽香は少しホッとした。

カッとしてケンカしていられる身分ではない。

洋館の中へ入ると、

「この間はありがとう」

と、花房ルミ子が言った。

「この間」というのは、ルミ子がTVスタジオから、しばし姿をくらましていたとき、爽香が「うまくごまかしなさい」とアドバイス（?）したことを言っているのだ。

「いいえ。——うまくいきましたか?」

「ええ、眠そうに目をこすりながら、マネージャーの前に出てったの。『ちょっと横になるつもりが、眠っちゃったみたい』って言って。マネージャー、完全に騙《だま》されて、捜し回ってる人たちに、あわてて知らせに行ったわ。『ちゃんと捜してから騒いでくれよ』って、散々《さんざん》文句言われてた」

「じゃあ、気の毒なことしましたね」

「そんなこといいの」

と、ルミ子は首を振って、「私のマネージャーやって、ずいぶんわがまま言ってるのよ。少しは青くなるようなことがあった方がいいわ」

その言い方に、いかにも実感がこもっていて、爽香は思わず笑ってしまった。

「でも――栗崎さんって、凄く偉い女優さんなんですってね」

と、ルミ子が言った。「この間、共演してる他の役者さんが、『栗崎英子と一緒に出られるなんて』って、ポーッとしてるの。私、全然知らなくって。――きっと、何て馬鹿《ばか》な子だって思われてるわね、私」

「そんなこと……」

「栗崎さん、私のことを何か言ってなかった？」

ルミ子が意外に神経を使っているのだと知って、爽香は少し違う目でこのアイドルを見た。

「別に。知らないことは恥ずかしいことじゃないんですよ」

と、爽香は言った。「私だって、栗崎さんが現役で活躍してらしたころのことは知りませんし。今はお客様ですから、昔の映画をビデオで見たりしてますけど、そうでなかったら、何となく名前は聞いたことある、っていうくらいだったでしょう」

「そうか。――そうよね」

と、ルミ子は肯いて、「私、マネージャーさんにビデオ借りて来てもらって見よう。私が見て、分るかしら？」

「そんなの簡単。分るまで見ればいいのよ」

「そうか」

ルミ子は、気が楽になった様子で笑うと、「杉原さんって面白い人」

と言った。

「みなさんにそう言われてます」

と、爽香は言った。「――あ、喜美原さん」

洋館の建物の奥、中庭を窓越しに眺められる広い居間で、撮影が行われていた。

今はちょうど休憩中と見えて、ソファで英子が寛《くつろ》いでいる。そして、一緒に座って楽しげに話し込んでいるのは、バリトン歌手の喜美原治だったのだ。

「あ、爽香さん」

と、英子が手を振った。

「遅くなりまして」

と、爽香は持参して来た袋を渡した。

「これでよろしいでしょうか？」

英子は中身をちょっと見て、

「そう！　これこれ。ありがとう」

庭へ出る場面で、どうしても紫のショールを肩にかけたい、と言うので、爽香が連絡を受けて、部屋へ入り、捜し出して持って来たのである。

「先日はどうも」

と、爽香は喜美原の方へ礼を言った。

「いや、こっちこそ。突然押しかけて悪かったね」

喜美原は血色も肌のつやも良く、元気そうにしていた。

「――今日はご見学ですか？」

と、爽香が訊く。

「そうじゃないの」

と、答えたのは英子の方だった。「この屋敷でのパーティの場面に、ぜひ喜美原さんに登場してもらって、一曲歌ってほしいと思ったの」

「まあすてき。賛成です」

「ほらね、喜美原さん。この杉原爽香って子は決して間違ったことを言わないの。従った方が利口《りこう》よ」

喜美原は笑って、

「やれやれ。英子さんにゃかなわない」

と言った。「しかし、歌うにしてもピアノ伴奏をしてくれる人がいないと」

「そうか。その問題があったわね」

と、英子は眉を寄せて、「そこまでは考えなかったわ」

すると、そこへ、

「喜美原さんはみえてますか?」

と声がした。

「あら」

英子が大げさに目を見開いて、「まあ、何て偶然でしょ! 片桐輝代さんがみえるなんて!」

爽香が、ふき出しそうになる。

もちろん、英子が片桐輝代を呼んだのである。その辺、英子にぬかりはない。

「君……どうしたんだ?」

と、喜美原が目を丸くしている。

「あ、先生、いらしたんですね。私、急用だと言われて……」

英子が立ち上って、輝代の手を取ると、

「あなたをここへ呼んだのは〈天の声〉よ。だから、立派に喜美原さんの伴奏をしてちょうだい」

「はあ……」

輝代はわけが分らず、ただ目をパチクリさせているばかりだった……。

11　臨時便

いつも、休日はケータイの電源を切ってある。

明男のケータイは、会社から持たされているものだから、休日には切っておいて差《さ》し支《つか》えないのだ。

ところが、切り忘れる、ということはあるもので、爽香に頼まれていた、壁布の裂《さ》けたところを直していると、そのケータイが鳴り出したのである。

「いけね。——忘れてた」

と、独《ひと》り言を言うと、明男は手を止めて、出たものかどうか迷った。

急な仕事、と言われたら断りにくい。といって、この休日に今から仕事と言われても、とてもやる気になれない。

「待てよ」

鳴り続けているケータイの番号表示を見ると、会社からではない。どこか遠い市外局番だ。

「間違いだな」

鳴り続けるのもやかましいので、出ることにした。

「もしもし」

と言うと、向うは少し置いて、

「杉原さん？　N運送の」

と、男の声。

どこかで聞いたような声だな、と明男は思った。

「そうですが……」

「ああ、良かった！　会田といって、この間――」

「ああ、軽井沢の」

あの、三宅舞という子のスキーを運んで行った、軽井沢のホテルの人だ。

「この間はごちそうになって、ありがとうございました」

と、明男は言った。

「いやいや、こっちこそ、ベルボーイの仕事をさせてしまって、申しわけなかったね」

「とんでもない。何か？」

「今日は休みかい？」

「ええ。うちでのんびりしてます」

「そうか。――じゃ、無理は言えないんだがね。ぜひ君の所へ電話してくれと言われて」

「は？」

「この間、スキーを運んでくれた、三宅さんのお嬢さんに頼まれたんだ」

「ああ、あの方ですか。どういうことで……」

「スキーを取りに来てほしい、とおっしゃってね」

「お帰りですか」

「ゆうべ、ナイトスキーをやられていて、足首を捻挫されたんだ。一応、こちらで手当はしたが、東京へ戻って、かかりつけの病院へ行く、ということなのでね」

「はあ、なるほど」

明男にはよく分らなかった。「でも、それなら何も急いでスキーを持って帰らなくても。どうせ滑れないわけでしょう」

「まあ、そうなんだがね」

と、会田は笑って、「そこがお金持という奴さ。どうしても、自分のスキーを置いて行きたくない、とおっしゃってね」

「しかし……今から取りに来い、と？」

「すまないね。いや、どうしても無理ということなら、そうお伝えするよ」

「待って下さい」

――爽香は、例の大女優に呼ばれて出ている。そう早くは帰って来ないだろう。

うちにいても、どうせゴロゴロしているだけだ。——あの娘の家は、かなりの大物らしい。後々《のちのち》、何か仕事の上でも、プラスになることがあるかもしれない。

「分りました。伺います」

「ありがとう！　助かったよ！　何しろ、自分の願いは何でも通ると思ってるからね、あの人たちは」

会田の立場も、よく分る。

「車があるかどうか、確かめないといけないんです。お歳暮《せいぼ》の時期なので。小型でいいですね、スキーだけなら」

「他にも、ちょっと荷物があるかもしれないが、スーツケース一つ、二つだ」

「それなら大丈夫だと思います」

「悪いね。割増で請求してくれ」

「規定通りで結構ですよ」

と、明男は言った。

——年末で、運送会社は忙しい。

明男も、この日曜日が、今年最後の休日と言われていた。

しかし、何より「仕事がある」ことの嬉しさが、明男にとっては大きいのだ。

爽香へ連絡して行こうかと思ったが、確か撮影現場へ行っているはずだ。

本番中にケータイが鳴ったりして、迷惑をかけることがあってはいけない。明男は〈急に仕事で出る。夜には帰る〉とメモを残し、一応自分のケータイを持って出かけることにした。

念のため、勤め先の営業所へ電話すると、

「そういうことなら、ぜひ頼むよ」

と、出勤している上司も喜んでくれた。「三宅さんの所の仕事をいただければ、こっちも助かる。車なら、小さめのはあるから」

「じゃ、これから家を出ます」

と、明男は言った。

——休日は二人で過そうね。

爽香も、結婚するときはそう言っていたのだが、仕事柄、呼び出されれば行かないわけにもいかず、その点は明男も同じだ。

配送品の受取も、共働きの家では休日しか在宅していないことも珍しくない。

休みの日は休む。——そんな単純なことが、今の日本では難しい。

明男は外へ出て首をすぼめた。北風が急に強く吹き始めていた。

軽井沢は寒いだろう。

明男は足早にバス停へと急いだ。

「あれ、何？」

花房ルミ子は、飲みかけた紅茶を受け皿へ戻して言った。

「発声練習ですよ」

と、爽香は言った。「英子さんの古いお知り合いの歌手の方が出演されるので」

一緒にいたルミ子のマネージャーは渋《しぶ》い顔をして、

「あんな年寄出してどうするんだ。その分、ルミ子を出しゃいいのに」

と、聞こえよがしに言った。

ルミ子がマネージャーの方を見て、

「じゃ、あなた、あの声出してみたら？」

と言った。「カラオケ一つ、満足に歌えないじゃないの」

マネージャーはムッとしたようだったが、大切な「商品」が相手だ。ケンカするわけにもいかず、

「あんな歌、流行遅れだってことさ」

と、ふてくされたように言った。

「知ってます？　こういう言葉」

と、爽香が言った。「〈流行だけが流行遅れになる〉っていうの。ちゃんとお腹から声を出すのは、流行とも時代とも関係ないわ。いつだって値打のあることでしょ」

実際、喜美原の発声は、ピアノのある部屋の中で、ドアを閉めているのに、廊下を越えて、ルミ子たちが待機している部屋にまで届いてくる。

「いいなあ。私も、あんな声、出してみたいわ」

と、ルミ子は言った。

「――じゃ、本番行きます」

と、声がかかった。

この屋敷の広間で、喜美原の歌を客たちが聞く場面。――栗崎英子の提案で加えられたシーンだが、他の出演者たちも、「ただ座って聞いていればいい」というので、喜んでいる。

「では、皆さんの生れる前によく歌った歌を」

喜美原の言葉に、みんなが笑った。

「ピアノは片桐輝代さんです」

喜美原はきちんと紹介した。

「――いい声ね」

と、ルミ子が呟いた。「普通にしゃべってるだけなのに」

「〈城ヶ島の雨〉を歌わせていただきます」

と、喜美原は言った。

拍手が起る。――カメラはもう回っていた。

静かに、さざ波のようなピアノの前奏。そして、喜美原が歌い出した。

「雨はふるふる……城ヶ島の磯に……」

ところが、そこで、

「ちょっと！　ごめんなさい！　待って！」

と遮《さえぎ》ったのは、録音の担当。「――すみません！　声に芯《しん》があって、マイクがビリビリする。マイク、ずーっと遠ざけて」

助手があわててマイクを後方へ退《しりぞ》けた。

「――そこでいい。失礼しました」

「いやいや、昔の録音のときは、『もっと大きな声でなきゃ聞こえない』と言われたものですよ。今はマイクが良くなった」

と、喜美原は怒りもせずに言った。

「光栄ですよ。こんな声が録《と》れるなんて、嬉しいね」

録音係も、もう六十近い年代だ。

「では、もう一度」

――爽香は広間の隅で、その様子を眺めていた。

「雨はふるふる……城ヶ島の磯に……利休鼠の雨がふる……」

爽香はそのとき、誰かが広間の入口に立っているのに気付いた。

女の子だ。——中学生くらいだろうか。

その子は、どこかふしぎな雰囲気を持っていた。

パッと目につくほど可愛くはないが、それでいて人の目をひく。きっと、丸顔の穏やかな童顔と、大人びた雰囲気とが奇妙にアンバランスで、そこが目をひくのだろう。

いずれにしても、この現場のスタッフではない。誰なのだろう？

のびやかな声。——この前、ホールで聞いたときより、ずっと楽に歌っているようで、それがいっそう喜美原の声を若々しいものに思わせている。

歌い終って、ピアノの余韻《よいん》が消えるまで、喜美原はおじぎをしなかった。おじぎをすれば拍手が起って、最後のピアノの音が消されてしまうと思ったのだろう。

少しの間があって、喜美原が頭を下げる。広間を拍手が満たした。

「凄い！」

「すてき！」

若い子たちも精一杯拍手している。

喜美原は笑顔で会釈をくり返した。

「——OKです。いや、良かった」

ディレクターが拍手を送った。「録音、どう？」

「表も車が遠慮したらしくて、問題なし」

「お疲れ様でした」

スタッフが一人一人やって来て、喜美原と握手をする。——喜美原は嬉しそうに相手をしていたが、ふとその目が広間の入口に立つ少女へ向いた。

「失礼」

と、喜美原は急いで広間を横切ると、その少女へ歩み寄った。

「——あれ、誰?」

と、英子が言った。

「さあ……。もしかすると——」

爽香と英子が顔を見合せる。

「——栗崎さん」

喜美原が少女を連れてやってくると、「これは市川春子《いちかわはるこ》といって、別れた妻の手もとで育てられていた、僕の娘です」

やはりそうか。——爽香は、ピアノの前に立っている片桐輝代の方をチラッと見た。

「まあ、いらっしゃい」

と、英子が立って、少女の手を取る。「お父様とは昔からのお友だちなの。まあ、確かに目もとの辺りがお父様似ね」

ほとんど出まかせに近い言い方だろうが、よくスラスラと出てくるものだ。

爽香はひそかに感心していた。

市川春子。——古風な名前が、その少女には似合っているような気もする。

しかし、当の娘の方は、喜美原が「娘です」と紹介するのがあまり嬉しくないらしく、聞こえないふりをして、

「ここで何を撮ってるの？」

と、訊いたりしている。

「ルミ子ちゃん」

英子が手招きすると、アイドルがいそいそとやって来るのには、爽香もびっくりした。いつの間に、手なずけてしまったんだろう？

「春子ちゃん、花房ルミ子ちゃんのことは知ってるでしょ？」

「あ——もちろん」

春子も、いつもTVで見ているアイドル当人が現われたので、びっくりしている。

「ルミ子ちゃん、この子を少し案内してあげて。何をしてるところか、説明しながら」

「ええ」

ルミ子は、春子の手を握って、「いらっしゃい。次の場面の準備してるから」

ルミ子のマネージャーは渋い顔でその様子を眺めていたが、何も言わない。

「あのね」

と、英子が爽香の方へ小声で囁いた。「ルミ子ちゃんのマネージャー、いるでしょ。態度のでかいの」

「ええ」

「父親がね、昔映画会社にいて、映画の製作費一本分、ギャンブルで使い果してクビになったのよ。私、よく知ってたの。それを思い出して、ちょっと昔話をしてあげたら、すっかりおとなしくなって」

「用心なさって下さいよ。私、ボディガードまではやれないんですから」

と、爽香はため息をついた。

「あ、ちょっと」

英子が手招きして呼んだのは、若い女性カメラマンで、スタッフの一人として、スチール写真を撮っている。

「撮りますか」

「私じゃないの。今、ルミ子ちゃんが女の子と一緒にいるから、それを撮って」

「分りました」

「一緒にいる子を、しっかり撮ってあげて。色んな表情を隠し撮りで」

「はい」

「後で私に見せてちょうだい」

カメラマンが行ってしまうと、

「いや、ありがとう」

と、喜美原が言った。「あの子にも、いい思い出になると思いますよ」

「どういたしまして。ね、時間あったら、何か食べて帰らない？　あの〈Pハウス〉の食事、味は薄くて今一つだけど、体にいいのは確かよ」

「お誘いは嬉しいが、あの子を連れて帰らないと……」

「あら、一緒に来ればいいのよ。部屋には入れなくても、食事は大丈夫」

「それじゃ、春子に訊いてみましょう」

と、喜美原が娘の方へ行ってしまうと、

「何をお考えなんですか？」

と、爽香は訊いた。

「下心があるように見える？　ま、確かにあるけどね」

と、英子はいたずらっぽく言った。

そんなときの英子は、まるで少女のように見えるのだった……。

12　取り引き

問題は帰りだな。

――明男は上り車線の混雑を横目に見ながら思った。

日曜日の夕方だ。東京へ戻る車が多いことは分っていた。

しかし、スキーと荷物をのせるだけだ。

何なら、少し夜遅くなるのを待って帰ってもいい。

ホテルまでは思っていた以上にスムーズに行った。前のとき、あちこち捜して時間を取られたので、余計に二度目は早く感じるのかもしれない。

わずかな日数だが、ホテル前の駐車場の車は確実にふえている。これから暮《く》れにかけて、更に混んでくるのだろう。

小型トラックを停めて、フロントへ入って行く。

会田の方もすぐに明男に気付いて、カウンターの中から出て来た。

「早かったね」

「こっちへは空いてます。帰りは大分かかりそうです」

と、明男は言った。「スキーと荷物、下ろしましょうか」

「悪いな。ご覧のような状態でね」

ロビーは、かなりの人出だ。

「ベルボーイが、スキー場の方へ取られちまってね」

と、会田は首を振って、「ともかく人手を減らしてるんで、しわ寄せが方々《ほうぼう》に出ているよ」

「どこも大変ですね。——いいです、部屋まで取りに行きますよ。台車、お借りします」

「うん。よろしく」

明男は、空いた台車をガラガラと押して、エレベーターへ向った。

——あの三宅舞という子の部屋は憶えている。

ドアをノックすると、

「どなた?」

と、女の子の声がした。

「運送屋です」

すぐにドアが開いて、女の子の一人が顔を出した。

「待ってね。——舞! みえたわよ」

開いたドアの中を覗くと、三宅舞が、松葉杖をついてやって来た。

「ありがとう、来てくれて」

「災難でしたね。スキーと荷物は?」

「そこの。——バッグ二つと」

「はい。じゃ、ご自宅へ届けておきますから」

明男は、台車にバッグとスキーをのせた。

「他に何か?」

「あと一つ」

と、舞が言った。「下で待ってて。持って行くから」

「でも……。分りました」

大方《おおかた》、友だちにでも運ばせるのだろう。

明男は、

「お邪魔しました」

と会釈して、「お大事に」

と付け加えた。

下へ下りて、スキーと荷物をいったんトラックへ運び、積み込んだ。

ロビーに戻ると、会田が、

「ここで少し待っててくれ」

と声をかけ、足早にどこかへ行ってしまった。

明男はちょっと汗を拭《ぬぐ》った。

外は寒いが、ロビーは暖房が入って、暑いくらいだ。カラフルなスキーウェアを着た若い子たちが、ひっきりなしに行き交う。

目のくらむような思いだった。

「――明男」

と呼ばれて振り返る。

祐子が、田端将夫と二人で下りて来たところである。

「あ、どうも」

「大変だね」

と、田端が言った。「僕も一泊だけで明日は帰るんだ」

「そうですか。爽香がいつもお世話になって」

と、明男は挨拶した。

「ご苦労様」

と、祐子が言った。

「ちょうど休みだったんで」

「気を付けて帰ってね」

と、祐子は微笑んで言った。「あの子によろしく」

明男は、祐子が夫と一緒にレストランの方へ立ち去るのを見ていた。

祐子が母親になって、家庭に落ちつくところを、明男はなかなか想像できなかった。

祐子は祐子で、学生のころと少しも変っていないように見える。

もちろん、自分と同じだけ年齢をとっているのだが。

「――お待たせ」

と、声がした。

三宅舞が松葉杖をついてやって来た。コートを着て、マフラーまでしている。

「わざわざ下りて来なくても」

と、明男は言った。「もう一つの荷物って？」

「私のことよ」

正直、仰天《ぎょうてん》した。

「――悪いね」

会田がやって来て、「どうしても黙っててくれとおっしゃるんで」

「会田さん……。僕のトラックに？　あんなボロ車、乗り心地だって良くないし」

「いいの。大して痛むわけじゃないし」

と、舞は言った。「助手席は空いてるんでしょ？」

「それはそうですけど……」

明男はやっと分った。

この少女は、祐子から明男の話を聞いたのだろう。――祐子の元恋人というだけでなく、きっと「殺人犯だった」ことも。

面白そうだ、と関心を持って、足首を痛めたとき、思い付いた。一緒に乗って帰ろう、と……。

しかし、とんでもないことだ。

「それはできません」

と、明男は言った。

「あら、どうして?」

「帰りの道は混んでいて、相当《そうとう》時間がかかります。途中、お腹が空いたり、トイレに行きたくなったらどうするんです? トラックじゃ、どうしようもない。お宅からどなたか迎えに来てもらって、列車でお帰りなさい」

明男の口調はきっぱりとしたもので、舞もむくれはしたものの、

「つまんないの」

と、納得した様子だった。

「何も好《この》んであんなトラックで帰ることないでしょう」

と、明男は言った。「それに、万一事故でも起したら、とても責任が取れませんよ」

「分ったわ」

と、舞は言った。「じゃ、うちへ電話して、今夜は帰れない、って言う」

「分ってくれてありがとう」

明男はホッとした。

「その代り、夕ご飯、付合ってって」

「え？」

「いいじゃない、それくらい。——会田さん、どこかレストラン、取って」

「分りました」

会田もホッとしている様子だ。「中華辺りが取りやすいと思います」

「お願い。個室でね」

「じゃ、ソファでお待ち下さい」

舞が、ロビーのソファに腰かけるのを手伝って、会田が戻ってくる。

「びっくりしましたよ」

と、明男が言った。

「僕も止めたんだが、聞かなくてね」

と、会田は言った。「食事だけ付合ってやってくれ。相手は女の子だ」

「だから困ります。——個室が空いてなかったってことにしてくれませんか」

明男は本気で頼んだのだった……。

「──ごちそうさまでした」

駅の見える所まで来て、桜井登は足を止めて、「もう一人で大丈夫ですよ」

布子は笑って、

「私も、駅前で買物があるの。あなたが一人で大丈夫なことは分ってるわ」

「何だ、そうか」

「残念でした」

二人は一緒に笑って、また歩き出した。

「今日は手伝ってくれてありがとう」

「ううん。凄く楽しかった」

「お宅でも何かお母さんのお手伝いをなさいよ」

「でも……」

と、登は肩をすくめて、「そんなことしなくていいから、学校へ行けって言うと思うな」

「そうかしら。お母さん、あなたとどう話していいか分らないんだと思うわ。──だから、きっと喜ばれるわよ。話すきっかけができれば」

「そうかな」

登は少し考えて、「――じゃ、そうしてみる」

「うん。それがいい」

布子は登の肩を叩いた。

「――先生」

「うん？」

「どうして学校へ来ないか、訊かないの？」

「訊いてほしければ訊くけど」

登は笑って、

「変ってるね、先生って」

「そう？　本人は至《いた》って普通のつもりだけどな」

と、布子は言った。「来たくなったら、来るでしょ」

「来てほしい？」

「もちろんよ」

布子は登を見つめて、「毎朝、クラスへ入ってって、あなたの席が空いてるのを見ると、胸が痛いわ」

「胸が？」

「そうよ。私の授業がつまらないから来ないのかしら、って思うの。何かあっても、私には話せないのね、って思うと、悲しくなる」

「そうじゃないんだけど……」

登がそう言って、「危い！」

と、布子の腕をつかんだ。

ハッと足を止めると、車が目の前を通り抜けた。

「赤信号だわ」

布子は息をついて、「ありがとう！　気が付かなかった」

登は布子を眺めて、

「やっぱり変ってるよ」

と言ったのだった。

13 若い瞳

「初めにお断りしときますけどね」

と、明男は前菜に手をつける前に言った。「ここは僕が払います」

「あら、そんなの困るわ。私が誘ったのに」

と、三宅舞は顔をしかめて、「そんなに私と食事するのがいや?」

「そういう問題じゃありません。僕は運送屋で、あなたは客だ。客から食事をおごられるわけにはいきません。特に、年下の学生さんにはね」

「私だって、もう二十歳よ」

と、舞は言い返した。「じゃ、割《わ》り勘《かん》。それで手を打って」

「――いいでしょう」

と、明男はナプキンを取った。

「じゃ、お先に」

舞は前菜の焼豚などを自分の小皿へ取り分けた。「これで安心して食べられるわね」

「まあね」

実のところ、明男は大《たい》してお金を持って来ていない。こんなことになるとは思ってもいなかったのだから。

全額払うことになったら足りないところだ。半額が自分の財布の中身で払えるのを祈《いの》るしかなかった。

「とっても律儀《りちぎ》なのね」

と、食べながら舞は言った。

「本当なら、個室も避けたかったけど」

二人きりで、中華レストランの個室を占領している。「お得意様」の威光《いこう》だ。

「二人きりになると、奥さんに叱られる？」

と、舞がからかうように、「こんな所で浮気はできないでしょ」

「僕の女房は大丈夫ですよ。むしろ、あなたの方がね」

「私？」

「お宅に知れたら。——こんな個室で、得体の知れない運送屋の男と二人きりで食事したと」

「父は、職業で人を差別したりしないわ」

「前科者なら別でしょう」

少し沈黙があった。

「――恋人を殺して刑務所に入っていた男と二人きりで食事したとなったら……。あなたのお父さんが聞いたら、カンカンになって怒るでしょう。そして、うちの営業所へ抗議が来る。文句なし、僕はクビです」

「言わないわ」

「誰かが見ていたら？　一緒に来ているお友だちの口から、どこをどう伝わってか、お父さんの耳に入るかもしれない」

そう言って、明男は息をつくと、「――しかし、おいしいですね」

舞が笑った。

二人はしばらく食べることに専念した。

「――祐子から訊き出したんですね」

「あの人に怒らないでね」

「怒りませんよ。本当のことだ」

「信じられない。あなたが……人殺しだなんて」

と、舞は言った。

好奇心に満ちた瞳が真直《まっす》ぐに明男を見つめている。――昔、知り合ったころの爽香のようだ、と明男は思った。

もちろん、今も爽香の目はあのころ同様の好奇心に輝いているが、舞は生活の苦労を知らない分《ぶん》、二十歳とはいえ、子供のように無邪気《むじゃき》だった。

「あなたが思ってるほど、人を殺すっていうのは、難しいことじゃないんですよ」

と、明男は言った。「人は、どうしても他人に知られたくない秘密を必ず一つ二つ、持ってる。そうでしょ？」

「——うん」

と、舞が肯いた。

「それを、とても嫌いな人に知られて、みんなに言いふらす、と言われたら？　好きな人がそれを聞いたら、きっと自分のことを嫌いになるだろうと思ったら？」

「殺すかもしれない、その人を」

「そうでしょう。——僕の場合はそういうわけじゃなかった。でも、殺したことには違いない」

と、明男は言った。「祐子から聞いたんでしょう？」

「あなたの口から聞かせて。もう一度」

と、舞は身をのり出すようにして言った。

話して聞かせるようなことではない。それはそうだ。

しかし、ここは何も言わずにすみそうになかった。

明男は、まるで他人のことのように淡々《たんたん》と話して聞かせた。——あくまで食事をしながら。

心の内には分け入らなかった。起ったことだけを話して行った。

「——こういうことです」

と、判決を受けたところで話を終らせ、「TVのワイドショーなら、もっと面白く仕立てるんでしょうがね。これで我慢して下さい」

しばらく黙々と食べ続けて、明男は舞を見た。

「どうしました？」

「ごめんなさい」

と、舞は頭を下げた。「あなたにとっては思い出すのも辛いのに。ひどいことしてしまって」

明男には意外だった。——この子は、ただ気楽に暮しているだけの女子大生ではなさそうだ。

「謝《あやま》ることはありませんよ。誰でも興味を持ちます。それは自然なことだ」

「あなたを苦しめるつもりはなかったの」

「分ってます。——もう忘れて下さい」

舞は再び食べ始めたが、ふと手を止めると、

「私、あなたの気持、分るわ」

と言った。

「分っちゃだめだ」

「——どうして？」

「人を殺すことは、罪なんですよ。僕も一生それを背負って生きていかなきゃならない。どんな事情があっても、許されないことです」

「どんな事情があっても？」

「そうです」

と、明男は即座に肯いて、「まさか──誰かを殺したいんですか？」

舞が胸を突かれたようにハッとして、急いでお茶を飲んだ。──答えたのも同じだ。

「いけませんよ」

と、明男は言った。「人を殺せば、自分の未来も殺すことになる」

舞は腕時計を見ると、

「──もう出かけるでしょ？」

と言った。「お引き止めしてごめんなさいね」

「いいえ」

明男はナプキンで口を拭って、「お茶をもう少しもらってから行きます」

舞が、ウェイターを呼ぶボタンを押した。

「──お茶を新しくして。それと会計を」

「かしこまりました」

「会計は正確に二分の一ずつ二つに分けて下さい」

と、明男は言った。

「いえ、いいの。お部屋につけて」

舞がそう言って、「お願い、そうさせて。お詫びのしるし」

明男も、それ以上無理は言えなかった。

「ごちそうさま」

「良かった。ありがとう」

舞は心からホッとした様子だった。その微笑は、ついつられて明男まで微笑んでしまうほど愛らしかった……。


「じゃあ、二十歳の女子大生にごちそうになって来たわけ?」

と、爽香は言った。「結構ね。私はこうして三五〇円のコンビニ弁当なのに」

明男の分もテーブルにのっていた。

「明日食べるよ」

と、明男は言って、首を左右へひねった。「長距離だと肩がこる」

「明日の朝、食べてね。夜じゃ期限が切れるから」

と、爽香はお弁当を食べながら言った。

「うん。——帰りのトラックで考えたんだ」

明男はお茶を一口飲んで、「あの子が払うと言ってくれたけど、ホテル代を払ってるのは親だ。つまり、僕は女の子におごらせたんじゃなくて、親におごらせたことになる。――だろ?」

「まあ、理屈はね」

と、爽香は笑って、「いいわよ、別に。仕方ないでしょ」

「悪い子じゃない。それに、何か屈折したものを抱えてる感じがした。――僕のこと、父親に話さないって約束してた。信じていいと思うよ」

「好奇心が強いってことに関しちゃ、私も人のことは言えないからな」

と、爽香は肯いて、「赦《ゆる》す。でも、これ以上その子と付合っちゃだめよ。こっちがどうでも、向うはどうなのか、見当つかないし」

「分ってるよ。――風呂、入っていいか」

「うん。お湯、入れてくれる?」

「ああ、やるよ」

――明男がお風呂にお湯を入れている音を聞きながら、爽香はちょっと苦笑した。

「もてる亭主を持つと苦労する、なんてね」

と呟いてみたり……。

「二十歳か……」

もう、ずいぶん遠い昔のようだ。

大学生だった二十歳の年、爽香は、刈谷《かりや》祐子と付合っていた明男と、一度別れている。あのまま、明男が当り前に祐子と付合っていたら、二人は結婚していたかもしれない。

そして爽香は爽香で、他の誰かと、また恋に落ちていただろう。

もしも、という言葉は、一度しか通り過ぎることのできない「過去」にとっては無意味だが、今の自分を改めて見直す鏡《かがみ》にはなる。

でも、こうして明男と暮している日々の細々《こまごま》とした日常生活の積み重ねが、今、これ以外の暮しを想像させなくなっている。

「ま、幸せって証拠だね」

と、爽香は呟いた。

明男がお風呂から出て来ると、爽香は、

「先に寝てていいよ。明日も早いでしょ」

と言っておいて、自分がお風呂へ入る用意をした。

「石ケンが小さくなってた」

と、明男が声をかけた。「買い置き、どこだっけ?」

「洗面所の下の棚。何度も言ったでしょ」

「忘れちゃうんだ」

「出しとくわ」

——爽香がお風呂へ入ると、明男はパジャマ姿でリビングのTVをつけた。——何が見たいというわけではないが、ぼんやりとTVを眺めるのも息抜きになる。

ケータイが鳴った。

「——はい」

「明男さん？　舞です」

三宅舞だ。明男はびっくりしたが、このケータイの番号はホテルにも言ってある。

「さっきはごちそうさま」

と、明男は言った。「足はどうですか？」

「明日、母が迎えに来るの」

「そうですか」

「色々、しつこく訊いてごめんなさい」

「別にいいですよ。今、ホテルの部屋ですか？」

「ロビーの公衆電話。友だちには聞かれてないから、大丈夫」

「しかし——」

「今、奥さんは？」

「風呂です。——いいですか、うちにいるときには……」

「分ってる。夜はかけないようにするわ」

「夜は、じゃなくて……。僕と話すことなんかないでしょう」

「私と話すのはいや？」

「いえ、そういうわけじゃ……」

「まずいときはすぐ切っていいから。ね？」

そっちの方がよほど怪《あや》しまれる。——しかし、舞にあまりきついことも言いかねた。

「私、もっとあなたのこと、知りたいの」

「刑務所の生活とか？」

「違うわ。私、そんな好奇心だけで言ってるんじゃない」

だから困るんだ、と明男は心の中で呟く。

「それに、聞いてほしいの、私の話を」

「忙しいんです」

「分ってる。でも——このままにしておいたら。私、自分の気持を今のまま放っておくと、とんでもないことしそうなの」

「え？」

「だから。会って話せれば一番いいけど、そうできなくても、こうやって電話で——」

風呂場の方で音がした。

「家内が風呂から上るから。それじゃ……暮れは当分忙しいから」

「でも、電話してもいいでしょう?」

どこか思い詰めた口調だ。

危い。――明男の頭の中で、黄色の信号が点滅した。この子に係っちゃいけない。

明男は息をついて、

「じゃ、電話は夕方の五時ごろにしてくれますか。運転中だと出られないけど」

「分ってるわ。ありがとう。じゃ、おやすみ!」

「おやすみ……」

明男は手の中のケータイをしばらく見下《みお》ろしていた。

突き放して恨《うら》まれても困る。――難しいのだ。特にああいう女の子は。

「あら、電話?」

爽香が覗いた。

「仕事の車のことさ」

明男はそう言って、「早かったね」

「睡眠、ちゃんと取らないと、一週間きついから」

バスタオルを巻いた爽香はフーッと息をつくと、「栗崎さんがお元気なのはいいけど、休みも構わず引張《ひっぱ》り出されちゃう」

「断ったらいいじゃないか、休みですから、って」

「分ってるけど、相良《さがら》さんが亡くなって、話し相手も少ないし……」

と言って、爽香は明男を見ると、「誰かさんだって、日曜日に二十歳の女の子に会いに軽井沢まで行ったじゃないの」

と冷やかした。

「荷物を取りに行ったんだ。——そういうこと言うのか！」

明男が爽香のバスタオルをつかもうとする。

爽香が笑いながら逃げて行く。

「こら、待て！」

寝室に入ると、爽香は振り向いて、

「髪が濡れてるよ」

「じゃ、まだ寝られないな」

「濡れたまま寝たらクシャクシャになる」

「いいよ」

「そっちはいいだろうけど……。じゃ、明り消してよ」

二人はベッドに潜《もぐ》り込んだ。

「——ねえ」

「うん」

「その女子大生、可愛い？」

「そうだな。その気になればアイドルになれる」

「ふーん。私だって」

「お笑いならな」

「失礼ね！」

笑い声を上げて、爽香はあわてて、「シーッ！　もう遅いわ」

「明日は寝坊するかな」

「知らないわ」

明男は爽香の、まだしめり気のある肌を引き寄せた。

14 約束

「あら、昨日、疲れた？」

栗崎英子が、爽香を見て言った。

「あ、欠伸かみ殺してるの、見られちゃった！」

と、爽香は口もとを手で隠した。

「悪かったわね、お休みなのに引張り出しちゃって」

「いえ、そうじゃないんです。ゆうべ、夫と遅くまで語らっておりまして」

爽香が真面目くさって言うと、英子は楽しそうに笑った。

ロビーのソファにかけると、英子はバッグから鏡を出して、髪の具合をちょっと直した。

「山本さん、遅いですね」

と、爽香は言った。

英子のマネージャー、山本しのぶは、まず遅れて来ることなどない。今、迎えの時間を十分過ぎている。

「ケータイへお電話してみましょうか」

「電話するのは向うの仕事よ。こっちからかける必要はありません」

と、英子は言った。

こういうところが英子の「けじめ」なのである。

役者はどんなに苦しくても、

「仕事を下さい」

と言いに行ってはいけない。

役者は、

「出て下さい」

と頼まれるものなのだ。

これも英子の役者としてのプライドである。聞いて、爽香は感心した。

「――あ、噂《うわさ》をすれば」

と、爽香は、ロビーへ急ぎ足で入って来た山本しのぶを見て言った。

「すみません、遅れて」

と、足早にやって来る。

爽香は、この人にもプロ意識を見る。たとえ遅れても、言いわけはしない。相手にとって、遅れた事情など関係ないからである。

ただ、謝るだけだ。

「道が空いてるといいわね」

と、英子が立ち上ると、

「今日は収録中止です」

山本しのぶの言葉に、爽香もびっくりした。

「ぎりぎりまで決らなくて、お知らせできなかったんです」

「何があったの？」

「花房ルミ子さんが急病で」

「まあ……。過労ね、きっと」

「それが——」

と、山本しのぶが声を低めて、「表向き急病なんですけど、実はルミ子さん、駆け落ちしたらしくて」

「それ、確かなの？」

とたんに英子は機嫌が治った。

「それらしい置手紙がマンションにあったそうです。マネージャーさん、真青《まっさお》になってました」

それはそうだろう。マネージャーは、担当するタレントのすべてを把握していなくてはならない。

大方、所属事務所の社長から大目玉を食らっていることだろう。

「相手は誰だか分ってるの?」

と、英子は訊いた。

「分りません」

爽香は、TV局のスタジオからルミ子が姿を消して大騒ぎしていたときのことを思い出した。

あのとき、ルミ子は庭で誰かと会っていた。

——あれが駆け落ちの相手だったのだろうか。

「ともかく、こういう情報は隠しておくのが大変ですから、せいぜい今日一杯のことだと思うんです。明日になればマスコミがかぎつけて……」

爽香がため息をつくと、

「もう、かぎつけたみたいですよ」

と言った。

正面玄関の前にTV局の車が停《とま》り、カメラをかついだカメラマンやリポーターらしき女性が降りて来る。

「いやだ。どうしてばれちゃったのかしら」

と、山本しのぶが言った。

「突然収録中止になれば、誰だって何かあったな、と思うわよ」

と、英子は言った。「共演者のコメント？　それとも、かつての恋多き女の意見を聞きに来たのかしらね」

「ともかく、ここでは困ります」

爽香は走って行くと、自動扉から入り込んで来たＴＶ局のスタッフの前を遮って、

「お待ち下さい！」

と、鋭《するど》い声で言った。「無断で入られては困ります」

「お客もいけないの？」

と、リポーターらしい女性が訊く。

「ご家族の方、お見舞の方以外は、このロビーでも、受付を通して許可を取って下さい。拝見したところ、そのどちらでもないようですから」

「あそこに栗崎さんが——。いいわ、あなたには用ないから」

と、爽香を無視して、栗崎英子の方へ大股に歩き出す。

爽香は駆け出すと、そのリポーターの前に立ちはだかって、両手を広げ、

「このロビーでの取材はできません」

と言った。

「ちょっと、邪魔しないで！　仕事なのよ」

「こちらも仕事です」

爽香は一歩も引かない。「他の入居者の方々の迷惑になります」

「何分《なんぷん》でもないわ！　どいて！」

「どきません！」

と、にらみ合って、火花が散るかと思われた。

「待って」

と、英子が進み出ると、「ここに迷惑はかけられないわ。あなたたちが強引に取材したら、私がここにいられなくなるかもしれない。何億円も払って、別の施設へ移ることになったら、その分、局で払ってくれるの？」

「栗崎さん――」

「取材させないとは言ってないわ。ほら、他の局もやって来た。一緒にどこかでまとめて取材してもらいましょ。――爽香さん。外の玄関わきの花壇の前で、構わない？」

「はい」

「じゃ、行きましょ」

一人でさっさと玄関の方へ歩いて行く英子を、TV局のクルーがあわてて追いかけて行った。

「栗崎様がお疲れにならないようにして下さい」

と、爽香は山本しのぶに言った。

「任せて。でも、爽香さん、怖いわね」

と、しのぶはちょっと笑った。

爽香が見ている間に、たちまち取材陣は何組も駆けつけて来た。——山本しのぶが、うまく取り仕切ってくれるだろう。

「——爽香さん」

と、受付の子がやって来た。

「はい？」

「ちょっと——こっちへ」

「何？」

ついて行くと、来客と話をするための応接室のドアを開けて、

「あなたに会いたいって。通用口から入ってみえたの」

爽香は中を覗き込んで、目を疑った。

正《まさ》に、当の花房ルミ子がソファに固い表情で座っていたのである。

爽香は受付の子に、

「誰にも言わないで」

「分ってるわ」

「お茶を。——ドア、閉めて、〈使用中〉の札を」

爽香はソファに浅くかけると、

「今、表にマスコミが来てますよ」

と言った。「栗崎様のコメントを取りに」

「すみません、ご迷惑かけて」

「そんなことといいんです。でも――駆け落ちしたって聞いたけど」

「そのつもりでした」

「つもり？」

「二人で逃げようと言われ、それを信じて……。でも、彼は来なかった」

大粒の涙が、アイドルの頰《ほほ》に二つ三つ、伝い落ちた。――当人も、泣いていることに気付いていない様子だった。

「彼と連絡は？」

「何回も彼のケータイにかけて、やっと……。事故にでも遭《あ》ったのかと心配してた、って言ったら、彼……。『僕と会ったのが事故だったと思ってくれ』って」

「それって――」

「家族のある人なんです。仕事も家も捨てるから、と言われて、信じたのに」

ルミ子が両手で顔を覆った。

そんなことのできる男がいるだろうか？　――信じた方が馬鹿だと言ってしまえばそれまで

だが。

「ともかく、ここにいて下さい。外が静かになったら、知らせに来ます」

「すみません……」

「ここから出ないで。いいですね？」

ルミ子が肯く。

爽香は応接室を出ると、ロビーへ戻った。

表では、英子がマスコミに囲まれている。

「――参ったな」

この〈Pハウス〉に花房ルミ子が隠れていた、ということになるとうまくない。

ここはホテルではないのだ。

一時的にはともかく、泊らせるとなると、問題である。

「――爽香さん、お電話」

と、声がかかった。

受付で取ると、

「爽香か。ケータイにかけたんだけど」

兄の充夫だ。

「あ、ごめん、さっき電源切ったままだ。どうしたの？」

「悪いけど、彼女を二、三日預《あず》かってくれないか」

「彼女って？」

「畑山ゆき子だよ」

「預かれって……。何のこと？」

「則子にばれてさ。則子が会社へ乗り込んで来たんだ」

則子も思い切ったことをしたものだ。——よほど腹に据《す》えかねたのだろう。

「お兄さんのせいでしょう」

「うん、分ってる。でも、社内で立ち回りをやらせるわけにいかないだろ。うまくすれ違いで逃《に》がして、今、そっちへ向ってる」

「ここへ？　困るわよ！」

「取りあえず、他に思い付かなかったんだ。頼む！」

——ここって「駆け込み寺」か？

爽香は、受話器を置いて、

「長い一日になりそうだわ」

と呟いたのだった。

15　爽香の怒り

「ああ、やれやれ」

栗崎英子は〈Pハウス〉のロビーへ入って来ると、「ワンマン・ショー、やっちゃったわ」

取材のクルーがみんな帰って行くのを見て、爽香は、

「栗崎様、ちょっとお話が」

と、声をかけた。

「なあに？」

「応接室へいらしていただけますか」

「誰かお客？　もてて困るわね、私って」

英子は、結構本気で言っていたのかもしれない。

応接室へ入って、英子は目を丸くした。

「ルミ子ちゃん！」

「すみません、お騒がせして」

と、花房ルミ子は頭を下げた。

「じゃ、私が取材受けてる間、ずっとここにいたの？」

英子は楽しげに笑って、「偉い！　あなたには大スターの素質があるわ」

「私、男に捨てられたんです」

と、ルミ子が情ない顔で言うと、

「だめだめ、自分の方から捨てたことにするのよ！　男と女のことなんて、外の人間にゃ分らないんだから。相対性原理ってあるでしょ。どっちが捨てたか、なんて、考え方次第よ」

アインシュタインもびっくりするだろう。

「でも、私、どうしたら……」

と、ルミ子が途方《とほう》に暮れている。

「お待ちなさい。私が考えてあげる。あなたにとって一番いい方法をね。——爽香さん、今夜一晩だけ、この子を泊めてもいい？」

「どうぞ、とは申し上げられません」

と、爽香は言った。「知らない内に泊めてしまわれたら、仕方ありませんけど」

「ありがとう」

英子は肯いてから、「ルミ子ちゃん。あなたも、ここに泊ったことは絶対に秘密よ。この子に迷惑がかかることになるの」

「はい」

と、ルミ子は背筋《せすじ》を伸し、「私、決してしゃべりません」

「いいわ。じゃ、私の部屋へ行きましょう。——爽香さん、目をつぶっててね」

「立って居眠りしてたことにします」

爽香は先に応接室を出て、エレベーターまで、人目《ひとめ》につかないように誘導した。

そして、二人がエレベーターへ消えるとホッと息をつく。——色々、スキャンダルを乗り越えて来た英子だ。何かうまい手を考えてくれるだろう。

そこへ受付の子が呼びに来た。

「爽香さん、お客様」

兄の「彼女」、畑山ゆき子だろう。

一人すんだら、次か。

急いでロビーへ行くと、ソファには見たことのない男が座っていた。——ちょっといかがわしい印象を受けて、爽香は一旦オフィスの机へと寄った。

「——お待たせしました」

と、挨拶《あいさつ》して、「ご用件は？」

「杉原爽香さんですね」

頭の禿《は》げた、その中年男は、名刺を出して、「喜美原治さんのご親族の依頼で伺いました」

「小沢君男《おざわきみお》さん……。弁護士さんですか」

爽香は名刺をテーブルに置くと、「それでご用件は……」

「喜美原治さんがこちらへ見学にいらしてますね」

爽香は首を振って、

「プライバシーに関することです。お答えできません」

「いいですか、ちゃんと分ってるんです」

「何をおっしゃりたいんですか？」

「ご親族の方々は、大変怒ってらっしゃるんです。喜美原さんをうまく騙して、財産を巻き上げようとしてると」

「喜美原さんは大人です。しっかりしてらっしゃるし、ご自分の身の処《しょ》し方はちゃんとご自身でお決めになるでしょう」

「それはどうですかね。自分の子でもない娘を、娘だと人に紹介して回っている。それだけでも、かなり問題でしょう」

爽香は相手にしないことにした。

「具体的に何もご用がないようなら、お引き取り下さい」

と、きっぱり言った。

「強気ですな」

小沢という男はちょっと笑って、「力を貸してほしいんですよ」

爽香は呆れて、

「私がどうしてあなたのお力にならなくちゃいけないんですか？」

と訊いた。

「それはね、あなたご自身がよくお分りだと思いますよ」

小沢という弁護士は、口もとに冷ややかな笑みを浮かべていた。

「――何をおっしゃってるのか、さっぱり分りませんわ。あなたの恋人だったことは、間違ってもなかったと思いますけど」

小沢は口を歪《ゆが》めて笑った。不愉快なのだ。

「じゃあ、言いましょう。こういう高級老人ホームで働くには身許《みもと》が確かでないとね」

「それで？」

「とぼけるのが上手《じょうず》だね、若いのに。――君のご主人のことさ」

小沢はガラリと口調を変えた。

「主人が何だというんです？」

「杉原明男。旧姓、丹羽明男。大学教授夫人殺害の罪で服役」

爽香は無表情に、

「もう刑期は終えましたよ」

と言った。

「もちろんね。しかし、前科は消えない。いくら姓を変えてもね。君は隠したつもりかもしれないが、調べ出すのは簡単さ」

――爽香の中に、静かな怒りが燃えていた。

明男が爽香の方の姓を名のったのは、爽香への感謝の気持からで、前科があることを隠すためではない。

それに明男のことは、むろん、雇《やと》い主《ぬし》や、親会社の田端も知っている。ここの入居者も、承知しているのだ。

この小沢という男には、殺人の前科を持つ夫のいる女性が、こんな所で働けるとは考えられないのだろう。

弁護士でありながら、それを種《たね》に、爽香に協力を迫ろうというのだ。

爽香が怒りを覚えても当然だろう。

しかし、小沢は爽香が無言でいるのを、自分の狙いが図に当ったせいと思い込んだらしい。

「まあ、君の仕事を取り上げたいわけじゃないんだ。君がこちらに力を貸してくれれば、黙っていてやろう」

爽香は、小沢にお茶など出さなくて良かった、と思った。もし、目の前に水の入ったコップでもあったら、間違いなく小沢に頭から浴びせかけていただろう。

「——そういうことだ」

と、小沢は立ち上って、「また連絡するよ。悪いことは言わない。協力してくれたら、ちゃんと礼はする」

爽香は黙ったまま、小沢が出て行くのを見送った。

「おめでたい奴」

と呟くと、爽香はブレザーのポケットから小型の録音機を取り出し、再生した。

小沢の言葉がきれいに録《と》れている。

しかし、喜美原治に、そう親族が騒ぐような財産があるのだろうか？

少しの間、小沢には勘違いさせておこう。協力すると見せかけて、隠れた事情を探《さぐ》り出せるかもしれない。

この録音があれば、小沢を恐喝《きょうかつ》で訴えることだって可能だ。

「——爽香さん」

という声に顔を上げると、兄の浮気相手、畑山ゆき子が立っていた。

「いらっしゃい」

爽香は立ち上って、「大変だったわね」

「あの人の奥さんが……。凄い剣幕《けんまく》だったみたいです。もう社へ出られない」

と、畑山ゆき子はうつむく。

お兄さんも、罪作りな奴！

しかし、今の爽香には、ゆき子を「自業自得でしょ」と突き放すことができなかった。

男の気紛《きまぐ》れで、自分の一生を棒に振ることになるかもしれないというのに、男を恨んでいる気配《けはい》はない。

「あの人に迷惑かけてしまって……」

と、涙ぐんでいるゆき子を見て、爽香は、「こっちの方がよっぽど迷惑してるわよ」と言いたいのを、何とか我慢した。

「あなたは、兄のことまで心配しなくていいの。兄は兄で、もう慣れてるんだから。大丈夫よ。うまくやるわ」

「そうでしょうか」

「則子さんだって、旦那《だんな》さんがクビになったら困るわけだし、そこまではやらないと思う。ね、あなたは何も悪いことないんだから、ちゃんと出社しなさい」

とは言ったものの、爽香だって、ゆき子の立場だったら会社を辞めたくなるだろう。

——ともかく、兄とゆき子との仲は終らせるしかない。

「お仕事中にすみません」

と、ゆき子は、やっと爽香に対して詫びたのだった。

「——今日はどう言って出て来たの？」

「具合が悪いので、と言って、早退して来ました」

「じゃ、今日はもう会社へ行かない方がいいわね」

爽香は、腕時計を見て、「お昼を食べましょう、一緒に。どう？」

と訊いた。

「でも、ご迷惑が――」

「私って、迷惑引受症《ひきうけ》っていう病気みたいなの」

と、爽香は笑って、「少し時間があるわ。この奥にライブラリーがあるから、そこで雑誌でも読んでいて」

「すみません」

と、ゆき子は頭を下げた。

食事しながらでも、話を聞いてやる。それだけでも、ゆき子の心にのしかかっている重いものが、ずいぶん楽になるはずである。

悩んでいる人間、迷っている人間は、話したがっているのだ。聞いてくれる人を求めている。

そして、自分の立場を他人に話して聞かせることで、自分自身も、置かれた位置を認識する。

爽香も、そこまで期待はしないが、しかし恋する自分を少しでも冷静に見つめられれば、それでいい。――いずれ兄と別れなければならないときが来ても、取り乱さずにすむだろう……。

爽香が、畑山ゆき子をライブラリーに連れて行き、ロビーへ戻って来ると、ポケットでケータイが鳴った。

「——もしもし」

「爽香君か」

「河村さん？」

「うん。仕事中に悪いね」

「いいえ……」

爽香はいやな予感がして、「あの——まさか彼女を預かれとか？」

「え？」

「いえ、何でもないんです」

と、爽香は言った。「ちょっとくたびれていて」

「大丈夫かい？」

「ええ。何か……」

「実はね、明日、布子の誕生日なんだ」

「あ、そうでしたっけ」

「それで、みんなで簡単なお祝いをしようと思ってね。君、もし良かったら、来てくれないか」

「喜んで！」

と、即座に答える。「明男も一緒でいいですか？」

「もちろんだよ」

「暮れで、運送屋は忙しそうですけど、話してみます。どこで？」

「うちでと思ったんだが、結局、布子が色々やらなくちゃならなくなる。それで、近くの中華料理の店を予約したんだ。個室でね、八人ぐらいは入れる」

「分りました。何時からですか？」

「子供が眠くなるとね。——六時からにした。早過ぎるかな」

「何とかします」

と、爽香は言った。「河村さん。彼女は、大丈夫ですか？」

少し間があって、

「心配かけてすまない」

と、河村が言った。「少し距離を置いて、冷静になるのを待とうと思ってる」

「それがいいですよ」

「じゃあ……。明日、待ってるよ」

「他にも誰か？」

「僕の元の部下だった野口を招《よ》ぼうと思ってる」

「楽しみにしてます」

「うん。君がいてくれると、雰囲気が明るくなる。助かるよ」

――爽香は、電話を終えてから、

「私は白熱灯か」

と、呟いたのだった……。

16 電話

朝、ホームルームへ向う布子の顔は重苦しく沈んでいた。

早朝からの職員会議。――それは、神経をすり減らして、何も得るところのない、空《むな》しいエネルギーの浪費でしかなかった。

中学三年生の担任で学年主任。

校長の方針と、教師たちの意見が対立したとき、布子はその板挟《いたばさ》みになる立場だった。

でも――生徒たちに重苦しい顔を見せてはならない。

そう自分へ言い聞かせ、教室のドアを開けた。

ザワついていた教室が、少しずつ静かになる。――ピタリと話し声が止《や》むというわけにはいかないが、それでも一応は私語も消えた。

だが――布子は教室の空気が、どこか違っていると、敏感に感じていた。

何だろう？

出席簿を開くと、

「今日の休みは?」

と訊く。

当番の子が立って、

「欠席、ありません」

と言った。

「え……」

反射的に、ボールペンは〈桜井登〉の欄に×印をつけようとしていた。

欠席、なし?

顔を上げると、桜井登が席についていた。

目が合うと、桜井は微笑んだ。

「嬉しいわ」

と、布子は言った。「欠席が一人もいないなんて!」

そして、クラスの全員を見渡すと、

「じゃ、今朝は一人ずつ出席を取ります。ちゃんと名前呼ばれたら、『はい!』って返事をして、手を上げるのよ。分った?」

布子は、赤いボールペンを手に、「青木君!」

「はい」

「井上君……」

もともと、毎日こうして、名前を呼んでいたのだ。一人一人、ちゃんと。

それを、当番の申告に任せていた自分が、少し恥ずかしかった。

「——桜井君」

「はい」

桜井は、ごく当り前の声で返事をした。

布子の表情は、明るくなっていた。


「河村さん」

昼休みまで、あと五分というところで、河村は、電話を取った子に呼ばれた。「親戚の方からです」

「親戚？」

誰だろう？

「——もしもし、河村です」

少し間が空く。

かすかな息づかい。それだけで分った。

「もしもし……」

早川志乃だ。

「ああ。——どうも」

と、河村は言った。

「お仕事中、ごめんなさい」

「いや、いいんだ」

河村は、爽香へ電話したばかりである。

志乃とのことは、思い切らねば、と決心している。

「今日、会えない？」

そう言われて、河村の胸は痛んだ。

「すまないけど、今日は用事があってね」

「じゃ、明日は？」

「明日、家内の誕生日で」

つい、言ってしまった。

「それはおめでとう」

志乃は、淡々とした口調で、「じゃ、あさっては？」

「うん……。さあ、今すぐには……」

そう毎日「用事」では通るまい。

「お願い。時間は取らせないわ」

志乃にそう言われると、もともと、河村の中に、「自分が悪い」という気持がある。冷たく突き放すことは、できなかった。

「――分った」

と、河村は言った。「じゃ、今夜、少しなら……」

「ありがとう！」

志乃の声が弾んだ。

「じゃ、六時に〈K〉で」

「ええ！　待ってるわ」

志乃の声は生き返っていた。

電話を切ると、昼休みのチャイムが鳴った。

――河村が席を立って、廊下へ出ると、

「河村さん」

野口刑事がやってくる。

「野口。良かった！　連絡したいことがあったんだ」

河村は野口の手を握り、「どうしてる、今は？」

「あの駅前の事件がやっと片付いて」

「そうか。——昼飯《ひるめし》、一緒にどうだ？」

「ええ、良ければ」

「行こう！　何かおごるぞ」

とは言ったものの、大した店があるわけではない。

中の食堂でなく、外へ出て、道の向い側のイタリアレストランでスパゲティを食べた。

「——奥さんの誕生日祝いですか！　いいですね」

と、野口は肯いた。

「出てくれるか」

「僕が、ですか？」

「ぜひ出てくれ。気楽な食事だ」

野口は少し迷っていたが、

「——分りました。喜んで」

「ありがとう」

河村は野口の肩を叩いて、「布子も喜ぶよ！」

野口はスパゲティを食べ続けた。

——河村は、野口の方が何の用だったのか、訊こうとしなかった。

昼食時間の終った後も、河村は一人、コーヒーを飲んでいた。

「いらっしゃいませ」

店に入って来た女性は、河村を見ると、すぐにやって来て、

「河村さんですね」

と言った。

「はあ……。ああ、あの学校の――」

「早川さんのことなんです。私、事務室にいて、仲良くしてもらっています」

「憶えてますよ」

「あの――早川さんから連絡は？」

河村は、ちょっと不安になった。

「いや、別に……」

「無断で休んでいて。もう三日です」

「三日も？」

河村はびっくりした。

「何もお聞きじゃないんですね。――あ、コーヒーを」

と注文して、「河村さん」

と、声が変る。

「何でしょう？」

「私——当人から聞いたわけじゃないんですけど、早川さん、妊娠してると思うんです……」

コーヒーカップを持つ手が止った。

「——ありがとうございました」

〈Pハウス〉の玄関で、畑山ゆき子は、くり返し爽香に礼を言って、タクシーに乗って行った。

ロビーの中へ戻ると、爽香のケータイが鳴った。

「もしもし」

「爽香。悪いな」

兄の充夫だ。

「今、ゆき子さん、帰ったよ」

「そうか。これからどうするって？」

「今日は家へ帰るって」

「そうか」

「大丈夫なんでしょ？」

「まあな……」

「会社の方は？」

「則子が怒鳴り込んで来たが、よく分らないんだ」

「則子さんも、どうなってもいいと思ってるわけじゃないわ」

「うん。子供たちがいるからな」

「だから、ちゃんと謝って。いい？」

「うん」

「手間のかかる奴！」

と、爽香は言ってやった。

「僕のこと、怒ってたか」

「さあ。一応落ちついてたけど」

「そうか。すまない」

「もう別れるのよ」

「うん、そうする」

当てにならない。——たとえ、あのゆき子と別れても、他の誰かをまた見付けるかもしれない。

「これで最後にしてね！」

と、爽香は念を押した。

——通話を終えて、爽香は、明男が昼食でも取っている時間かと思い、かけてみることにした。

「——爽香か」

「今、大丈夫？」

「うん、昼飯の途中だ。ちょっと待ってくれ」

明男は店の外へ出たらしい。「中はやかましいんだ」

「ね、忙しいのは分ってるんだけど」

「何だよ」

「明日、早く帰れる？」

「無理だよ！」

「そこを何とか」

「何ごとだい？」

布子の誕生日祝いのことを話すと、

「——そうか」

「ね、何とか時間を」

「分った」

「お願いよ」

「寄って、少しいて、また配達に出るっていうんで、どうだ？」

「ええ、それでもいいわ」

「じゃ、そうしよう。――トラック、停めとく所、あるかな」

「訊いとくわ。小型でしょ？」

「トレーラーじゃないから」

爽香は笑って、

「でも良かったわ」

と言った。「今夜も遅いのね」

「ああ、十一時ごろかな」

「気を付けて」

と、爽香は言った。

明男は、通話を切って、店の中へ戻ろうとした。

ケータイが鳴る。

「――はい？」

「私。三宅舞よ」

「ああ……。どこから？」

「スキー場よ、まだ。――今日、迎えに来るわ」

「気を付けてね」

「ね、帰ってから、一度会いたい」

明るく言うのが、危い。

「ねえ、僕は忙しくて――」

「分ってるけど、何とか会って」

舞は、少しも押しつけがましくない。

自分の頼みはたいてい、聞いてもらえる。――そういう口調だった。

17　叫び

心配することはなかったのだ。

——そう。誰だって夢からいつか覚める。いつか高い熱がひき、当り前の状態に戻る日が来る。

河村はそう思った。

会う前の不安が大きかったせいで、余計にそう感じたのかもしれない。

早川志乃は明るく声をたてて笑った。

それは、二人が付合い始めてこの方、ほとんど聞いた記憶のない、明るく、屈託《くったく》のない笑いだった。

何でもなかったのだ。

取り越し苦労だったんだ。

河村は、志乃の笑いにつられて、自分も笑った。

「——あんまり遅くなるといけない」

河村は腕時計を少しオーバーな仕草《しぐさ》で見て、「君ももう帰った方がいいよ」

河村と早川志乃は、〈K〉という喫茶店で会った。——いつもだと、志乃の方がホテルに誘うが、今は全くそんな気配もない。

何か志乃の中で吹っ切れたような印象があった。

コーヒーとハーブティーで一時間おしゃべりをして、河村は帰ろうとしたのだ。

しかし、河村の「君ももう帰った方が」というひと言で、志乃の様子がガラリと変った。

「——どうかしたのか?」

と、河村が訊く。

「知ってるんでしょ? 聞いたでしょ、誰かから」

「何のことか——」

と、河村は言いかけて、「学校を無断欠勤してるって? 君らしくないじゃないか。君と話をするのを楽しみにしてる生徒たちもいるんだ」

——聞いていた、「もう一つのこと」は、怖くて口に出せなかった。

志乃は、河村の言葉を聞くと、ちょっと笑った。

それはついさっきまでの明るい笑いとは全く違って、自分を嘲笑《あざわら》っているかのような暗い笑い声だった。

「志乃……」

「あなたも大変ね。奥さんも教師、恋人も教師」

「何のことだ？」

「もうごめんだわ。『生徒のために』『先生として恥ずかしくないように』……。先生だって人間よ。──私だって」

志乃は少し混乱しているようだった。

「大丈夫か？」

「大丈夫だったら、会ってくれって、無理に頼まないわ」

「志乃……」

「私、子供ができてるのよ」

──やはり本当だったのか。

河村は何と言っていいか、分らなかった。

「何か言ってよ」

と、志乃は挑《いど》むように言った。

「──すまん」

河村の言葉に、志乃はちょっと笑って、

「あなたっていい人ね。もし『本当に俺の子か？』なんて訊いてくるような男なら、諦めるのに」

「なあ、志乃……」

「言いたいことは分ってるわ」

志乃は遮って、「いやよ。私、この子を葬《ほうむ》ってしまったりしない」

河村は、しかし何とも言えなかった。――大人同士の付合いとはいえ、責任は年上の自分にある。

といって、布子と別れることなどできなかった。

二人はしばらく黙っていた。

河村は待っていたのだ。

卑怯《ひきよう》なことだと知りつつも、待っていた。志乃の方から、

「あなたには一切《いっさい》迷惑かけないわ」

と言ってくれるのを。

俺はいつからこんな男になり下《さが》ったのか？

河村は、とても志乃と目を合せることができなかった。

やがて――志乃は立ち上った。

「帰るわ」

「そうか」

「あなたも帰りなさいよ。奥さんと子供さんたちの待ってる家へ」

「――うん」

「今日は帰るってことよ。これで話が終ったわけじゃないわ」

志乃はそう言うと、コートを着て、ボタンをきっちり上までとめた。

「体を大切にするわ。ストレスも良くないんでしょ、赤ちゃんに。あなたとケンカしたくはないの」

河村は何も言わずに座っていた。

「——それじゃ」

志乃は足早に出て行った。

一人になって、ともかく河村はホッとした。何一つ解決したわけではないが、ともかく今日は何ごともなかったように家へ帰れる。

帰ろう。——布子を悲しませるわけにいかない。

そうだ。布子には何の責任もない。

河村は、志乃の妊娠に対して自分が何もできないことを、「布子のため」と自分に納得させようとしていた。

可能かどうかはともかく、帰宅したときには、何もかも「忘れているふり」をしなくてはならない……。

河村は喫茶店を出ると、駅への道をほとんど走るような勢いで急いだ。

爽香は、〈G興産〉のビルへと入って、ホッと息をついた。

「いらっしゃい」

受付嬢が爽香を見て笑いかける。「外は寒そうね」

「北風が強くて……。いいわね、中にいられて」

と、爽香はコートを脱いだ。

「あら、受付も見た目ほど楽じゃないのよ。お客さんが大勢出入りすると、やっぱり風が入って来るしね」

「どんな仕事も楽じゃないわね」

と、爽香は言った。「社長さんに呼ばれて」

「聞いてるわ。直接社長室へどうぞ」

「どうも」

と行きかけて、「――そうだ。私、後で片桐さんって女性とここで待ち合せてるの。もし訊かれたら、そっちの椅子にかけていてほしいって」

「伝えるわ。片桐さんね」

受付嬢がメモを取る。

「よろしく」

爽香はエレベーターへと向った。

――〈社長室〉のドアをノックすると、

「どうぞ」

と、声がした。

爽香はドアを開けて頭を下げた。

「お邪魔します」

「入ってくれ。――そう堅苦《かたくる》しくなるなよ」

田端将夫は席を立って、ソファへと移った。

爽香は向い合って座ると、

「軽井沢で……」

「そうそう。ご主人に会ったよ。大変だね、あんな所まで」

「でも、荷《に》は少なくて、楽でいいようです。今はお歳暮の時期で」

「ああ、一番忙しい時期だね」

田端は肯くと、「祐子も大分元気を取り戻してるよ」

「良かったですね。でも、気をつかってあげて下さい」

「うん」

「――それで、ご用というのは」

田端は、秘書がコーヒーを運んで来るのを待って、少し間を置いた。

「いただきます」

爽香は香りの高いコーヒーを、そっと一口飲んだ。「――いつもおいしいですね、こちらのコーヒー」

「君にまずいコーヒーは出せないよ」

と、田端は微笑んで、「特に今日の話にはね」

爽香はちょっと目を見開いて、

「〈Pハウス〉のことですか。それとも私個人の?」

「君個人のことだ」

「クビですか」

田端は顔をしかめて、

「僕がどうして君をクビにするんだ?」

「さあ」

田端が苦笑して、

「ゆうべ、お袋と食事してたね」

「お変りありませんか」

「変ったとすりゃ、ますます元気になったことぐらいかな」

と、田端は笑った。

田端の母、真保《まほ》は、息子が社長になるとき爽香が力になってくれた(そのつもりではなかったが、結果としてそうなったのだ）ことに感謝してくれている。

そのことが、〈Pハウス〉での爽香の立場にも微妙に影響しているのだ。

「――お袋と話していて、〈Pハウス〉のことが話題になった。まあ、君も分ってると思うけど、あれは利益が上るという仕事じゃない」

「それはそうですけど……」

「しかし、これからの企業には社会的な貢献が欠かせない。〈Pハウス〉を持っていることで、海外での評価が違うんだ」

爽香は内心ホッとした。

〈Pハウス〉を閉鎖するとでも言われるのかと思ったのだ。

「しかし、はっきり言って〈Pハウス〉は高額所得者のための特別な施設だ。そういうものも必要だが、もっと一般向けの施設がこれからいくらでも必要になってくる」

「それは同感です」

「そこで、〈G興産〉の中に、〈Pハウス〉に続く、もう少し一般向けのホームの計画を推進《すいしん》するセクションを作ろうと思うんだ」

爽香は正直びっくりしていた。

〈G興産〉だって、昨今の不況の中、経営は楽ではないはずだ。その中で、目先の利益と結びつかない企画に力を入れるというのは、少なくとも年寄の経営者からは決して出て来ない発想だろう。

「それはすてきな計画ですわ。ぜひ実現して下さい」

と、爽香は言った。

「それで、君の力を借りたいんだ」

「え？」

「そのプロジェクトのスタッフとして加わってほしい。君は〈Ｐハウス〉で実際の経験を積んでいる。こういう話は、実務経験のある人間が加わらないと議論ばっかりくり返すことになる」

田端の言っていることはよく分る。

「でも、私は……」

「君が〈Ｐハウス〉での仕事を大切にしてくれていることはよく分ってる。〈Ｐハウス〉も君に抜けられたら困るだろう。だからすぐにこっちへ移ってくれとは言わない。しかし、いずれは〈Ｇ興産〉の社員として、新しいプロジェクトに参加してほしいんだ」

思いもかけない話だった。

「——私には荷が重すぎます」

「大丈夫。君ならやれる」

そう言われてしまうと、爽香も何も言えない。

「とりあえず、どうだろう」

と、田端は身をのり出して、「プロジェクトを発足させるための会議を開く。それに出席してくれ。その先はまた話し合おう」

爽香は、

「分りました」

と答えるしかなかった。

「年内に一回目の会合を持つ。予定が決り次第《しだい》、連絡するよ」

「はい」

爽香としては、〈Ｐハウス〉の栗崎英子などと離れるのは辛い。

しかし、一方で、田端の話に魅力を感じたのも事実だ。——全く新しいホームを、ゼロから立ち上げる。

そんな機会は滅多にあるまい。

「よく考えます」

「そうしてくれ」

田端はホッとした様子で、「君に断られたら、お袋に叱られるところだよ」

「そんな……」

爽香は苦笑してコーヒーを飲み干した。

デスクの電話が鳴って、田端は立って行って出た。

「――ああ、僕だ。――明日？　分った。迎えにやるよ、誰か。僕は会合がある」

妻の祐子からだろう。爽香は黙って会釈すると、社長室を出て行こうとした。

「ちょっと待ってくれ」

と、田端が爽香へ呼びかけて、「――え？　――もしもし。――うん、今、爽香君が来てるんだ。――ああ、ここにいるよ」

田端は爽香の方へ受話器を差し出して、

「君と話したいと言ってる」

出ないわけにはいかない。

爽香は受話器を受け取ると、

「――もしもし」

「爽香さん？」

「ごぶさたして」

「ご主人と会ったわ」

「聞きました。お食事をごちそうになったようで、ありがとうございました」

「そんなことといいの。ただ、ちょっと気になってね」

「何のことでしょう？」

「こっちで、ご主人は三宅舞って女子大生と知り合ったの。知ってる？」

「はい、聞いています」

「それならいいんだけど、あの女の子の方は、はっきりご主人に惚れてるわ」

爽香としては何とも言いようがない。

「気を付けた方がいいわ」

と、祐子は続けた。「明男君もいい人だから、そうつれなくできないのね。ああいう無邪気な子は怖いわよ」

「わざわざどうも」

と、爽香は言った……。

18　緊急事態

爽香はエレベーターで一階へと下りながら、祐子に腹を立てていた。

「よその夫婦のこと、放っといてよ！」

エレベーターの中で一人だったので、爽香は一人で文句を言っていた。

確かに、明男はやさしい性格で、女の子から頼られたら、きっぱりはねつけることは苦手だ。

しかし、それはそれ、女の子の思いに応えるかどうかとは別の問題である。

殊《こと》に、今回の女の子——三宅舞といったか——の場合、仕事上のことでもあり、そうすげなくすることはできなかったというのだから。

爽香は心配してはいない。——むしろ、明男がその舞という女の子を傷つけることの方が心配である。

とりあえずは、放っておくしかない。

——爽香が一階の受付へ行くと、

「片桐さんがお待ちよ」

と、受付嬢が言った。

ロビーのソファに、片桐輝代が座っている。

「あ、どうも」

爽香が近くへ行くと、片桐輝代の方が気付いて立ち上った。

「わざわざすみません」

「いえ、この近くで用事もあるので」

と、輝代は言った。

「あまり時間がないので、申しわけないんですが、ここで」

「もちろん」

二人は腰をおろした。

「実は、〈Pハウス〉に小沢君男という人がみえました」

輝代の顔にはっきりと嫌悪の表情が浮んだ。

「ご存知なんですね」

「喜美原先生の親族の人たちが雇った弁護士です。とても不愉快な人で」

「同感です」

と、爽香が言うと、

「何かあったんですか。——そもそも何の用事で?」

と、輝代が訊く。

爽香の話を聞くと、輝代は顔を真っ赤にして、

「何てことを……。今度会ったら、小沢を池にでも叩き込んでやりますわ」

と、声を震《ふる》わせた。

「私は別にどうってことないんです」

と、爽香は言った。「でも、ふしぎな気がして。――喜美原さんは、そんなに財産をお持ちなんですか？」

輝代は少し間を置いて、

「今、現実にどれだけのお金をお持ちかといえば、そう騒《さわ》がれるほどのものではありません」

と言った。

「それじゃ……」

「爽香さん、こういう歌、ご存知ですか？」

輝代が小さな声で歌ってみせたので、爽香は少し戸惑った。

「――聞いたことあります」

「じゃ、これは？」

と、輝代が口ずさむのを聞いて、

「ああ、知ってます。〈暁《あかつき》の湖〉っていうんでしょ？」

「そうです。この曲は？」

と、今度はメロディだけハミングして聞かせる。

「タイトルは知りませんけど、聞いたことあります」

「今、私が歌ったのは、全部、喜美原先生の作曲した歌なんです」

爽香もこれにはびっくりした。

「作曲を？」

「別名でしてらっしゃるので、知ってる人は少ないんです。でも、これらの歌は、詞もご自分で作られ、ご自分で歌われたんです」

「知りませんでした」

「ほとんどの方は知りません。でも、どの歌も、ポップスのようにパッとヒットしたりしませんが、長く歌い継《つ》がれ、合唱でも歌われて、広まっています」

爽香にも分って来た。

「つまり、その歌の権利を……」

「ええ。方々で歌われたり、録音をされたりすると、先生の所に使用料が入ります。一つ一つはわずかですが、まとまると少なくない額になりますし、それにいつまでも残ります」

「分ります。もし亡くなられても——」

「死後五十年は著作権が遺族に渡ります。先生が、あの市川春子という子を、本当にご自分の子と認めるのを、親族の人たちは恐れてるんです」

「確か――亡くなった場合、まず奥さんが……」

「もちろん、その通りです。でも、私はだからこそ先生の妻にならなくていいと思っています」

と、輝代は言った。「そのお金が目当《めあ》てと思われるのがいやで、法律上の妻になることは、あえて避けているんです」

「分りました」

と、爽香は肯いて、「でも、もし市川春子さんが本当の娘でなかったら？」

「私は、それでもいいと思っています」

「どうして？」

「先生がそう信じて、ああして幸せでおられるのなら、私が口出しすることではありません」

「でも、もしその子も喜美原さんの権利を狙ってるとしたら？」

輝代は微笑んで、

「人の心の中なんて、誰に分るでしょう。もしあの子が本当に先生の子でも、目当てはお金だけかもしれません。本当の子でないとしても、先生を愛しているかもしれません。愛情の他に、お金が欲しいという気持が混《まじ》っていたとしても、それは当然のことじゃありません？　実の親戚の人たちが、それこそお金だけを目当てに、ほとんど会ったこともない先生に群らがろうとしているんです」

爽香は、その輝代の言葉に、ふっと胸の暖かくなるのを覚えた。

「輝代さん。——一つだけはっきり分っています。あなたが心から喜美原さんを愛してらっしゃるってこと」

それを聞いて、輝代が頬を染めた。

「あら……。ちょっとすみません」

輝代はバッグからケータイを取り出した。「先生からだわ。——もしもし」

輝代は、話を聞いて青ざめた。

「分りました！　すぐ、どこか捜します！」

「——どうしたんですか？」

「あの子が——春子ちゃんが、車にはねられたと……」

「まあ」

「車は逃げてしまったそうです。もしかしたら、わざとはねたのかも……」

「今、病院に？」

「救急車を待っているそうです。どこか受け容れてくれる病院を——」

「私の友人が大学病院で医者をしています」

と、爽香は言った。「連絡してみましょうか」

「お願いします!」

爽香はケータイで浜田今日子《はまだきょうこ》へかけた。

幸いすぐにつかまって、事情を話すと、

「了解、態勢整えとくわ」

と、今日子は言った。「状況をもう少し詳しく」

「待って。——輝代さん、説明して下さい」

輝代はさすがに落ちついていて、喜美原から聞いた限りの様子を説明し、場所を教えた。

「——ええ、そちらとは近いですね」

「救急車の人に、この病院が待機していると伝えてもらって下さい」

「分りました!」

爽香は立ち上り、

「病院へ向いましょう。喜美原さんへ連絡を」

「はい!」

ロビーから外へ出ながら、輝代は喜美原へ連絡を入れた。

爽香が空車を停める。

タクシーが走り出すと、爽香は腕時計を見た。

もし、喜美原のお金を狙う誰かがやったのなら、愚かなことだ。——人間は、追い詰められると、あまりに明白なことさえ見えなくなる……。

浜田今日子が白衣姿でやって来た。

「爽香」

「今日子、ありがとう。どう？」

「うん。肋骨が一本折れているけど、内臓は無事。手足の骨は折れていません」

喜美原が大きく息をついた。

「助かるんですね！」

「大丈夫です。頭は打っていないと思いますが、念のためにＭＲＩを撮りましょう」

「よろしく」

「三日もすれば、退院できますよ」

「良かった！」

輝代が喜美原と手を取り合う。

「当て逃げということで、警察へ連絡しなくてはなりませんので、ご承知下さい」

今日子が行きかけるのを、爽香は追いかけて、

「――ありがとう、今日子」

「いいけどさ、爽香、相変らず危い真似してるの？」

「好きで係ってるわけじゃないわ」

「どうかしら」

と、今日子は笑った。

「でも、頼りになるって感じよ」

「爽香にそう言われりゃ本望だ」

と、今日子は爽香の肩を叩いて、「それじゃ」

「――そうだ。今日子！」

「なに？」

「今日、布子先生の誕生日なの」

「あ、そうだった？」

「夜、お祝いの食事なんだけど、どう？」

「いいけど……。突然でも大丈夫？」

「連絡しとく。一人でも多い方が」

「そうね。――根本的には変ってないんでしょ？」

「うん」

「じゃ、話がにぎやかな方がいいね」

今日子は腕時計を見て、「六時には出られるよ」

「じゃ、迎えに来る」

爽香は、すっかりベテランの医師らしい足どりの今日子の後ろ姿を見送って、ちょっと微笑んだ。

——誰でも、歳相応《としそうおう》に成長し、自分の世界を作っていくのだ……。

「爽香さん、ありがとう」

と、輝代が言った。

「いいえ。私、仕事に戻るので」

喜美原が複雑な面持《おもも》ちで、

「もし、あれが本当に春子を狙ったものなら、許せん」

と言った。

「警察へ任せて、喜美原さんはそばについていていてあげて下さい」

「今夜は私が」

と、輝代が言った。「女の子ですから、先生がついておられても仕方ないでしょ」

「そうか。——では頼む」

爽香は、喜美原と輝代の二人を病院に残して、やっと〈Pハウス〉へと戻るために、地下鉄の駅へと急いだのだった……。

19 心残り

職員会議が終ったのは、もう五時五十分になっていた。

布子は急いで机の上を片付けると、

「じゃ、お先に」

と、他の教師へ声をかけた。

「河村先生、お急ぎですか」

と、声がかかる。「卒業式のことで、ちょっとお話が――」

「今夜はだめなんです。すみません」

と、布子は早口で遮った。「主人とデートなので。ごめんなさい、明日に」

「分りました。――いや、羨しいことで」

と、もう停年も近いその男性教師は笑って言った。

布子はロッカールームでコートを着ると、半ば走るようにして校舎を出た。

外はもう真暗で、風が冷たい。

六時から布子の誕生日祝いをやるというので、今日は早く帰るつもりでいた。職員会議も大した議題はなく、五時前には終るはずだったのだ。

それが——急に若い教師が一人、辞めると言い出し、大騒ぎになってしまった。

苛々《いらいら》しながら腕時計をにらみ続け、やっとこうして出て来たが、もう六時だ。中華料理店に着くのは、六時四十分くらいになるだろう。

店の電話番号を夫から聞いておこうと思って忘れてしまった。ともかく急ぐしかない。

羨しいことで、か……。

夫との間が、問題なくうまくいっていれば、焦ることもない。今夜の会食が、夫の発案ということ。それが問題なのだ。

——河村は何とかして家庭を守ろうとしている。その一方で、早川志乃のことを無情に突き放すこともできない。

それは、早川志乃との関係に責《せ》めを負《お》うべきなのは自分だ、という思いがあるせいだろう。そして、布子もまた、あまりの忙しさの中、夫が早川志乃に安らぎを求めて走ったことに責任を感じている。

このままでは、表面だけは色つやが良く、中が腐っていく果実のように、夫婦の関係は崩《くず》れてしまいかねない。

河村は、今日の布子の誕生日を、そのきっかけにしたいのだ。

——校門を出た所で、布子は足を止めた。

「桜井君？」

桜井登が街灯の下に立っていたのだ。

「先生……。会議だったの？」

「うん。——長引いちゃって。桜井君、あなた……私のこと、待ってたの？　ここで？」

桜井は何も言わなかったが、そうに違いないことは、寒さに凍え切った青白い顔を見ても分った。

「まあ、青い顔して！　風邪ひくわよ」

と、布子は言った。

「先生……。話したいことがあって」

布子は迷った。——いつもなら、どんなに帰りを急いでいても、話を聞くだろう。

しかし、今夜は特別な夜だった。

「そう。——ごめんね、桜井君。今夜はどうしても急いで帰らなくちゃならないの。用があってね。明日なら、ゆっくり話を聞いてあげる。それじゃいけない？」

桜井が何も言わない内に、布子のケータイが鳴り出した。

「ごめんなさい。——もしもし？　——あ、爽香さん」

「先生、今どこですか？」

爽香の声は少し遠い。

「それが職員会議が長びいてね、今学校を出たところなの。三、四十分で行くわ」

「じゃ良かった。今日子がぜひ一緒にって言うんで、途中で拾って行きますから、私もそれくらいになります」

「浜田さん？」

「ええ、すっかり貫禄《かんろく》のある医者ですよ。じゃ、お店へそう連絡しておきます」

「お願い。子供たちに先に何か食べさせておいてと主人に伝えて」

「了解しました」

爽香の明るい言い方。大方、布子が遅れることを考えて、かけて来てくれたのだろう。その気のつかい方が嬉しかった。

「——ごめんなさい、桜井君」

と、布子は言った。「人を待たせてるの。悪いわね」

「いいんです」

桜井はニッコリ笑って、「先生、もてるもんな」

その笑顔を見て、布子はホッとした。

「じゃ、明日は桜井君とデートね。主人にもそう言っておくわ。『今夜は帰らないかもしれないわよ』って」

「もう行って。急ぐんでしょ」

「ごめんね、本当に。じゃ、明日」

「うん。さよなら」

「さよなら！」

布子は手を振って見せ、それから小走りに駅へと向った。

もう、桜井登のことは考えなかった。ただ早くお店に着くことだけを考えていた……。


「すみません、明男が来られなくて」

と、爽香は言った。

「何を言ってるの。そんなにお仕事が忙しいなんて、結構なことだわ」

布子はビールで少し赤い顔をしていた。

「ママ、サンタさんみたい」

と、爽子が笑う。「お顔が真赤《まっか》」

「あら、サンタさんは赤い顔してないわよ」

と、布子は言った。

「それを言うなら、サンタさんのお洋服かな？」

と、爽香が言った。「トナカイは赤鼻《あかはな》だしね」

——まずはにぎやかな食事会になった。

幸い、布子も三十分足らずの遅れで店に着き、二人の子供が待ちくたびれてぐずりだすという最悪のケースにはならずにすんだ。

爽香だけでなく、浜田今日子も加わったことで、話題が広がった。今日子はもともと頭の回転が速く、話も上手《うま》かったが、今では医師としての経験が、その話術に自信を加えて、人の耳をひきつける魅力を持っていた。

「野口、遠慮なく食えよ」

と、河村が声をかける。

「いただいてます」

野口はあまりしゃべらず、黙々と食事をしていた。

布子は、何となく野口と目が合うのを避けている。——爽香はその気配を敏感に察《さっ》していた。

個室のドアが開いて、ウェイターが、

「お花が届いております」

と言った。

「私に？」

「はい。お持ちしてよろしいですか」

「ええ……。誰かしら？」

待っていると、大きな花束を抱えて、明男が入って来た。

「まあ、明男君！」

「お届け物です」

と、明男は花束を布子へ渡して、「伝票にサインをお願いします」

爽香が拍手すると、みんなが加わった。

「ありがとう……。送り主は？」

「私たち全員です」

と、爽香が言って、「野口さん。すみませんけど、一人三千円なんですが」

野口は笑って財布を取り出した。

「明男君、食事してけば？」

と、今日子が言った。

「ありがとう。でも、まだ配達する荷物が山ほど——」

と言いかけて、テーブルの上を眺め、「旨《うま》そうだ！」

「何よ、いつもおいしいもの食べさせてないみたいじゃない」

と、爽香が苦情を言った。

「そうは言ってないけど……。じゃ、十分《じっぷん》だけ」

「ほら、ここへ入りなさいよ」

今日子が隣の爽香との間を空ける。

「それじゃ」

明男が加わって（もちろん、ビールというわけにはいかないが）、食卓はさらににぎやかになった。

「爽香、まだ子供作らないの？」

と、今日子が訊く。

「今できたら、食べてけない」

「そうか。でも、働けるでしょ、今の所？」

「うん……。でも、私はただでさえ田端さんにひいきされてると思われてるからね」

「どう思われたっていい！　爽香のいけないところは、すぐ他人を気にすること」

と、今日子が言った。

「あんたは気にしなさ過ぎ」

「それは分ってるからいいの」

布子が笑って、

「三人とも中学生のときのままね！　性格はちっとも変ってない」

「でも、しっかり年齢《とし》は取ってます」

と、爽香は言った。

「本当ね。――もう十三年？　早いものね」

「先生、思い出にふけるには少し早いですよ！」

と、今日子が言った。

「そうね。このところ疲れてるから、つい……」

しかし、小さな子供がいるときに、「思い出話」は向いていない。

すっかり満腹になった爽子と達郎が、眠くなって機嫌が悪くなり始めたのである。

「――さて、もう行くかな」

素早《すばや》く食べ終えた明男が息をつく。

「わざわざありがとう」

と、布子は明男の手を握った。

「じゃ、もうみんな出ようか」

と、河村が言った。「料理もあらかた片付けたし」

「よく食べたわ」

布子は達郎を抱き上げて、「もうおねむだし、帰りましょうか」

――爽香が一足先に個室を出て、支払いの話をつける。こういうことは慣れている。

「じゃ、行くよ」

と、明男が爽香に声をかけた。

「ありがとう。先生も喜んでたよ」

「亭主に『ありがとう』もないだろ」

明男は照れたように言って、先に店を出て行った。

「爽香」

と、今日子が来て、「払いは？」

「私がカードですませとくから、私に払って。先生の分は頭割り」

「ＯＫ」

精算していると、爽香のケータイが鳴り出した。

「――はい、そうです。――あ、片桐さん」

ピアニストの片桐輝代からだ。

「何かありました？　――え？」

爽香は一瞬店の奥を振り返った。

「分りました。何とかそっちへ行きます」

爽香は、野口が出て来るのを見て、

「――野口さん！　すみません」

と、声をかけた。

「無理言って、すみません」

タクシーで、爽香は言った。

「いや、心配ですね、それは」

野口は穏やかに言った。

「ご迷惑じゃありませんか」

「なに、河村さんはいつもあなたのことを話していますよ。『あの子のような気持で事件に接するんだ』ってね」

爽香は少し照れた。

「——もし、意図的《いとてき》なひき逃げなら、色々手がかりが見付かると思いますね」

と、野口は言った。

「ただの事故ならいいと思いますけど」

「人間は、馬鹿な真似をすることがありますからね」

と、野口は肯いた。「こんなことして、ばれるに決ってるじゃないか、と思うようなことが……」

「本人はそう思ってないんですね」

「自分が望んでいることと、予測とを混同してしまうんです。『事故だと思ってほしい』という気持が、客観的な目をくもらせて、『事故に見えるに違いない』と信じてしまう」

タクシーは、市川春子の入院している病院へと近付いていた。

「野口さん……。余計なことかもしれませんけど」

と、爽香は言った。

「何です？」

「河村さんと布子先生は、今、何とか互いに傷口をふさごうと努力してます。そっとしておいてあげて下さい。お願いします」

野口はまじまじと爽香を見て、

「河村さんに言われた意味が分りますね。ふしぎな人だ」

「あら、恋をしたことのある人間が見れば、一目で分りますわよ」

と、爽香は冗談めかして言った。

「参ったな」

「でも、河村さんは気付いてません。どうか気付かせないで下さいね」

「――分りました」

野口は肯いた。

「もう病院です」

と、爽香はタクシーの前方へ目をやった。

20　後悔

病院の廊下で、にらみ合うように立っていたのは、片桐輝代と、あの弁護士の小沢君男だった。

「——片桐さん」

「あ、爽香さん！」

片桐輝代はホッとした様子で、「良かったわ。この人が春子ちゃんに会わせろと言って……」

「依頼人の利益を代表しているんですからな。当然のことです」

と、小沢は言った。

「事故に遭って骨折してるんですよ」

と、爽香は言った。「しかもこんな時間に。お医者さんの許可を取ったんですか？」

「これは狂言《きょうげん》じゃないかと思えるんでね」

「狂言？」

「わざとはねられたふりをして、私の依頼人にその責任があると言いふらそうとしているんじゃないかとね」

爽香は呆れて、

「十四歳の子供ですよ。しかも骨折してるのは確かなんですから」

「いや、それも、当ったふりをするつもりが、間違って本当に当ってしまったとも考えられる。今の十四歳などというのは、もう大人ですよ」

小沢は得意げに言った。

――どうやら、小沢は喜美原の方から何か言われる前に先手を取ったつもりらしい。

しかし、却ってボロを出していると言ってもいい。自分たちが係っていることを白状しているようなものだ。

「待って下さい」

と、爽香は言った。「大体、春子ちゃんが車にはねられたことが、どうして分ったんですか?」

「それは――」

と、小沢は言いかけて、ちょっと笑うと、「何をとぼけてるんだね。今さら隠さないでほしいね」

「何のお話ですか」

と、爽香は言った。

「ここじゃ言いにくいが、しかし、そう訊かれちゃ、答えないわけにいかないね」

と、小沢は、チラッと輝代の方を見てから、「事故のことを連絡してくれたのは、この杉原爽香さんだよ」

爽香は目をむいて、

「何を言うんですか！　どうして私がいちいち――」

「決ってるじゃないか。君には知られてはまずいことがある。私もね、できることなら黙っていてあげたかったが、君がそうやってとぼけるのなら、こっちにも考えがある」

小沢は表情をこわばらせて、「君が失業することになっても、私を恨まないでほしいね」

と言った。

「待ちなさい」

少し離れて話を聞いていた野口が歩み寄って来て声をかけた。「あんたは弁護士だろう。人を脅迫するようなことを口にして、よく平気でいられるね」

「――誰だ、あんたは？」

と、小沢がけげんな表情で野口を見る。

「僕は刑事だ」

野口は警察手帳を見せて、「あんたが言うのは、この杉原爽香さんが、勤めをクビになるようにしてやる、ということだね？」

「私はクビになんかできませんよ。私がこの女を雇ってるわけじゃない」

「それじゃ、なぜ彼女が失業するんだ？」

「知らないんですね。この女の亭主はね、丹羽明男といって——」

「大学教授夫人殺しの犯人。知ってるとも」

「それなら分るでしょう。そのことがばれたら、この女が職を失うのは分り切ってる」

と、小沢はせせら笑うように、「何より身許《みもと》が確かでなきゃ勤まらない、高級老人マンションで働いてるんですよ」

「そのことは、彼女の雇い主、親会社の社長、同僚、マンションの入居者、みんなが知ってるよ」

その言葉に、小沢の顔がこわばった。

「馬鹿な！」

「世間のことを知らないね。世の中は変ってるんだ。そんなことを気にしない人がいくらもいるんだよ」

「まさか……」

小沢は、納得できない様子で、しばらくブツブツ言っていたが、「——分りました。今夜は引き上げますよ。しかし、これですんだと思ってもらっちゃ困る」

と、片桐輝代と爽香を交互に見て、それからさっさと行ってしまう。

「——何て奴だ」

と、野口は顔をしかめて、「しかし、誰かがあの男に知らせたわけだ」

少しの間、沈黙があった。

「ともかく」

と、爽香が口を開く。「今は春子ちゃんの身の安全が第一だわ。万一、これが喜美原さんの親戚の誰かの計画したことだとしても、今、野口さんと会ったことで、これ以上危い真似はしないでしょう」

「でも、私はずっとついてます」

と、輝代が言った。「万が一ってことも……」

「お願いします」

「喜美原先生のお弟子さんや、私と仲のいいピアニストでも、先生を尊敬している人がいます。交替で頼んででも、ちゃんとそばに誰かついているようにしますわ」

輝代の決心は固い様子だった。

「――まあ、何てこと」

話を聞いて、栗崎英子は憤然《ふんぜん》として言った。「許せないわ。あんな素質のある子を」

「素質?」

爽香はふしぎそうに、「何の素質ですか?」

「あなたらしくもない。——私がカメラマンに、あの市川春子を撮らせてたのを気付かなかった？」

「それは知っていましたけど……」

——爽香は一旦〈Ｐハウス〉へ戻って、食事をとっていた英子に事情を話したのである。

「あの子の写真を、プロデューサーに見せたの。どこか事務所を紹介すると言ってたわ」

「じゃ……女優になれると？」

「なれるかどうかは、本人の意志と努力。でも、やる気はあると思うの。カメラを向けられたときの視線にね、色っぽさがある。あれは、見られることの快感を知っている子の目よ」

長年、この世界で生きて来た英子の目に狂《くる》いはあるまい。

「春子ちゃんに話してみていいですか？」

「ええ、もちろん。それより、まず当人の意志を確かめないとね」

英子は、お茶をゆっくり飲んで、「——最近の人は、日本茶のいれ方を知らないわね。いい葉を使っても、これじゃ台《だい》なしだわ」

「注意しておきます」

「そうね」

英子は、少し考えて、「明日は私、休みだから、病院に行って、直接あの子と話してみるわ。しのぶさんにもついてってもらってね」

「びっくりしますよ、きっと」

「朝、プロデューサーに連絡して、事務所の人にも来てもらうわ。そうすれば、一人でついてなくても、交替であの子を守ってあげられるでしょ」

英子は一旦何か思い付くと、どんどん話が先へ行ってしまう。

爽香は思わず笑って、

「まず当人の意志を確かめないと、って、ご自分がおっしゃったばかりですよ」

「本当だ」

と、英子も一緒に笑い出した。「――こういう性格は一生治らないわね」

「そこが栗崎様らしいところです」

レストランのマネージャーがやって来ると、

「栗崎様にお客様が」

「私に？　誰かしら」

「喜美原様です」

「まあ……」

――爽香も一緒にロビーへ下りて行くと、喜美原がソファから立ち上った。

「すまないね。もうやすんでたんじゃないですか？」

「スターは夜ふかしと決ってるわ。まだ早いわよ」

と、英子は喜美原の手を握った。「ちょうど良かった。こっちも、あなたに話があったの」

「あの子のことで、色々ありがとう」

と、喜美原は爽香へ礼を言った。「輝代から連絡をもらった」

「心配いりませんわ。ちゃんと色んな人が見ててくれます」

「幸せな子だ」

と、喜美原は肯いて、「私に話とは？」

「どっちが先でもいいけど、ま、レディファーストでね」

英子は、喜美原に市川春子の将来について提案をした。

「——何とまあ」

喜美原が唖然《あぜん》として、「あの子に、そんな素質が？」

「あるとにらんでるの。——何しろ、この年寄の言うことだから、少し当てにならないところはあるかもしれない。でも、少なくとも当人にやる気があれば、背中を押してやることはできると思うのよ」

「——ぜひお願いします」

喜美原は少しの間黙っていたが、
と、肯いて見せた。「あなたのドラマの収録を見て、とても興奮していました。きっと大喜びする」

「大変よ。たとえ三つ四つの子供でも、大人に混って仕事をするんですもの」

「そこは、あなたに仕込んでほしい。――私は、そういう世界のことはさっぱり分らないので」

「何を言ってるの。あなたも歌の世界のプロじゃありませんか」

「ま、それはそうですが」

「同じことよ。基本をしっかりやっておけば長持ちする。チャンスが来たとき、それを活《い》かせる。要は、基礎を身につける、っていう当然のことを、飽きないでどこまでやっていけるか」

「分ります」

「あの子は原石。どう磨《みが》くかで、値打は天と地ほども変ってくるわ」

と、英子は言って、「じゃ、あなたからの話を」

喜美原は少し考えていたが、

「――今のお話を聞いて、もう必要なくなりました」

「でも……」

「明日、あの子の病室でお話ししたいと思います」

喜美原は手を差し出して、英子の手を取ると、その甲に唇《くちびる》をつけた。

「――では明日」

帰って行く喜美原を見送って、

「キザな奴」

と、英子は苦笑した。


目覚し時計が鳴っている……。

布子は、深い眠りから脱け出そうとしてもがいた。

時計……。時計……。

手探りで目覚し時計を見付け、ボタンを押したが——音は止まない。

え？　何なの？

布子は目を開けた。

電話？　電話だわ。

ベッドでは、河村が、それこそ大地震でも目をさまさないだろうと思うほど、ぐっすりと寝入っている。

布子はベッドから出た。

床に落ちていたバスタオルを拾って体に巻きつけ、欠伸しながら、電話の方へと——。

午前五時を少し過ぎていた。

こんな時間に何だろう？

ゆうべ、誕生日のお祝いの席から帰ったときには、もう子供二人は眠り込んでいた。

着替えさせてベッドへ入れると、河村と布子は久しぶりに一緒にお風呂へ入った。

爽香たちが気をつかってくれたから、というわけではない。

夫婦だけの時間。――それを久しく持ったことがないと気付いた。

風呂から上って、二人はそのままベッドへ入り、久々に抱き合った。――布子の脳裏には、夫が早川志乃と抱き合っている光景も浮んだが、あえて忘れることにした。

そして二人は疲れ切って、裸のまま眠ったのである……。

「――はい」

やっと受話器を上げる。

「もしもし、河村先生ですか」

「はい、河村です」

「学校の宿直室ですが」

「何か?」

「実は……今起きて、教室の方へ行こうとしたら……」

「――何があったんです?」

不安が急速にふくれ上る。

「先生の教室で……男の子が首を吊《つ》って……」

一瞬に血の気がひく。

「死んだんですか」

「救急車は呼びましたが……。もう息はないです」

体が震《ふる》えた。

「生徒――ですか」

「ええ。クラスの桜井という……」

布子は、よろけて、その場に座り込んでしまった。

「――もしもし、先生。――もしもし？」

布子の手から受話器が落ちて、床に転《ころが》った。

21 告白

春子は目を覚ました。

病室の中に、薄明《うすあか》りが射《さ》している。——朝だろうか。

胸の辺りにうずく痛みは、自分がなぜここで寝ているのかを教えてくれた。

ゆっくり頭をめぐらすと、長椅子に片桐輝代が寝ていた。病室はそう広くない。輝代は少し足を縮めるようにして、はみ出さないで寝られたのだ。

春子は、ちょっと咳込《せきこ》んだ。そのせいで、肋骨の折れたところが痛んで、春子は少し呻《うめ》いた。

輝代が、ハッとした様子で起き上り、

「春子ちゃん、大丈夫?」

と、声をかけた。「——痛む? 看護婦さんを呼ぼうか?」

「大丈夫」

と、春子は言った。「輝代さん、ここに泊ったの?」

「うん。平気よ、私は。演奏家はどこへ行ってもスッと眠れる」

輝代は微笑んで、「あなたは、もっと眠っていいのよ。でも、病院は朝が早いからね」

「輝代さん……。お父さんはどこ？」

「一旦お宅へ帰られたわ。でも、じき戻られるでしょう」

「そう……」

立って来て、輝代は春子の頭を軽くなでて、額《ひたい》に手を当てる。

「熱は出てないわね」

春子がちょっと笑って、

「看護婦さんみたい」

「似合うかしら？　一度〈白衣の天使〉になってみたかったの」

「ちょっと無理があるかも」

「どうして？」

と、輝代は言って、「こう見えても、音大ではもてたのよ」

春子は小さく肯いた。

「――鎮痛剤でももらう？」

と、輝代に訊かれて、

「いえ、大丈夫。私、これくらいの痛み、我慢できるわ」

「可哀そうにね。――でも、ちゃんと交替で見張ってるから。安心してていいのよ」

「交替で、って……」

「朝七時になったら、私のよく知ってるピアノ仲間が、私に替《かわ》ってここで見張ってるから」

春子は当惑した。

「――そんなことまで？」

「大したことじゃないわ。ここで寝てるだけですもの」

あの狭い長椅子で寝るのが「大したことでない」はずはない。

「輝代さん」

と、春子は言った。「どうして、そんなことまでしてくれるの？　私なんか、赤の他人なのに」

「他人じゃないわ。私の大事な先生の娘さんだもの。私も、私の友だちも、喜美原先生の悲しむ顔を見たくないのよ。だから、こうしていてもちっとも辛くない。――ね？　分ったら、何も気にしないで寝てていいのよ」

春子は、輝代の手にそっと自分の手を重ねて、

「ありがとう」

と言った。「私――輝代さんに嫌われてると思ってた」

「どうして？」

「だって……突然、喜美原さんの娘ですって言って……。追い返されたって、何とも言えない

のに」

「先生は、あなたの言葉を信じたのよ。それに、自分の子供がこの世にいるってことがとても嬉しかったの。だから、あなたは先生を幸せにしてくれた。私もとっても嬉しいわ」

春子は、何も言わずに手を引っ込めると、目を閉じた。

「――もう少し眠る？」

と、輝代が訊くと、春子は目をつぶったまま、小さく肯いた。

輝代は春子のかけている毛布をちょっと直してやり、自分はまた長椅子に戻った。

そして、欠伸をすると、今度は座ったまま腕組みをして、目を閉じた。――眠ったのかどうか、見たところではよく分らない。

春子はそっと目を開け、輝代の方を盗み見た。そして、少し深く息をつくと、胸の痛みにちょっと顔をしかめ、それからもう目を閉じることなく、天井《てんじょう》をじっと見上げていた……。

電車の窓から見える空には、まだ夜の気配が残っていた。

さすがに空いているが、寒い。――布子は、その寒さが、この車両のものなのか、それとも自分の内面のものなのか、判断できなかった。

電車の細かな揺れが、布子の心まで揺さぶるようだ。

バッグの中でケータイが鳴り出した。

迷惑になるほど、電車内は混んでいない。

「――もしもし」

「布子。どうしたんだ？」

夫の声は不安げだった。

「ごめんなさい。メモを――」

「うん、読んだ。学校で何があったんだ？」

「ここじゃ話したくないの」

と、布子は言った。「帰ったら、ゆっくり話すわ。それでいい？」

「ああ、もちろん」

と、河村は言った。

「――遅くなるかもしれないわ」

と、布子は言って、「夕ご飯、適当に何か食べておいて」

「ああ、分った。心配しなくていいよ」

「ごめんなさい。お願いね、子供たちのこと」

と、布子は言った。

河村も、何かよほどのことが起ったと察《さっ》したのだろう、帰宅が何時ごろになりそうかも訊かなかった。

通話を切ると、布子は手の中にじっとケータイを握りしめていた。

そして、ちょっと窓外の風景へ目をやると、ケータイをバッグへしまおうとした。

ふと、その手が止る。

布子はケータイの〈着信あり〉の文字に気付いたのだ。——どこからのものだろう？

〈着信記録〉を出してみる。

その番号には覚えがあった。

桜井登は自分のケータイを持っていた。学校へ行かなくなった息子のことを心配して、親が「せめて友だちと話せるように」と、買って与えたのだ。

登校して来ない桜井に、布子も自分のケータイの番号を教えた。

着信記録に出ているのは、桜井のケータイの番号だ。——一つ一つ、着信をさかのぼって、布子の手は細《こま》かく震《ふる》えた。

午前四時、午前三時五十分、四十分……。

桜井は、ほとんど十分おきに布子のケータイへかけていた。十本近い。

「桜井君……」

午前四時……。

桜井は死の直前まで、このケータイへかけ続けていた。布子はマナーモードにしていたので、気付かなかったのだ。

桜井は、どんな思いで、この番号へかけ続けていたのだろう？　何度かけても布子が出なかったとき、どんなにか孤独だったろう。

――布子は、ゆうべ校門の外で彼女を待っていた桜井の姿を思い出した。

何か話したげにしていて――しかし、布子はそれを聞いてやることができなかった。

よりによって。――よりによって、なぜゆうべだったのか。

その問いの空しさをよく知りつつ、布子はそう問わずにいられなかった。

――布子は、ほとんど無意識の内に、リダイヤルのボタンを押していた。

爽香のケータイである。

仕事柄、夜中でも緊急の呼出しがあるので、ケータイの電源は切らないと聞いていた。

しばらく、さすがに誰も出なかった。

切ろうとしたとき、

「――もしもし」

と、少し舌足《したた》らずな声が聞こえて来た。

卑怯だ。私は卑怯だ。

爽香に慰めてもらいたがっている。

「先生のせいじゃありません」

と、言ってほしがっている。

布子の番号と分ったのだろう。

「——先生、どうしたんですか？」

と、訊いて来た。「もしもし？」

「ごめんなさい、朝から」

と、布子は言った。

「いえ、そんなこといいんですけど……。何かあったんですか」

爽香は、布子の声の調子で、察しているらしい。むろん、何が起ったのかまでは分るまいが。

「そうなの。実は……私のクラスの生徒が自殺したのよ。学校でね」

と、布子は言った。

「そうですか」

爽香は、それだけしか言わなかった。今、何を言っても慰めにならないと分っているのだろう。

「——それで今から学校へ行くところ。これから大変だわ」

「眠って下さいね」

「え？」

「眠って下さい。どんなに眠れないと思っても」

確かに、「眠れない」というのは、精神や心の疲れのサインのようなものかもしれない。

「ありがとう。ごめんね、こっちが眠りの邪魔して」

ふしぎなもので、爽香の声を聞くと、布子はそれだけで少し落ちついて来る。

「いいえ。河村さんは?」

「何も言わないで出て来たの。後で話すわ」

「私にも教えて下さい」

と、爽香は言った。

「ええ、夜にでも……」

「先生――」

「大丈夫。大丈夫よ」

と、布子は言った。「それじゃ」

爽香が何か言いかけるのを遮って、布子は通話を切ってしまった。

こんなことなら……。何もわざわざ爽香を起す必要はなかったのだ。

――いや、そうではない。

少なくとも、どこかに、自分が苦しんでいること、悩み、迷っていることを、知っていてくれる人がいるのだということ。――それは、人を孤独から救い出してくれる。

だが桜井は……。その「誰か」を求めて、ついに見付けられなかったのだ。

布子の目に初めて涙が湧《わ》いて来た。

窓の外は、少しずつ明るさを増して来ていた……。

病室のドアがそっと開いて、

「輝代さん」

と、若い女性が顔を覗かせた。

「あ、ご苦労様」

輝代は長椅子から立ち上ると、小声で、「すぐ交替できる?」

「ええ、もちろん」

「じゃ、よろしく」

輝代はベッドの方を見て、「眠ってると思うから、そっとしておけばいいの。目をさまして、何か欲しがったらあげて」

「ええ、任せて。私、長いこと母の入院に付き添ったことがあるの。大丈夫よ」

「じゃ、お願いするわ」

輝代は腰を伸して、「お昼前には、また来るから。——何か持ってる?」

「用心に、ってことね? ——これ」

と、その女性はバッグから、痴漢撃退《ちかんげきたい》用のスプレーと、アラームを取り出した。

「大したもんね」

「これ、鳴ると凄い音がするの。スプレーも効くしね。心配しないで」

「よろしくね。もし喜美原先生が朝の内にみえたら――」

と、輝代が言いかけたとき、

「輝代さん」

と、ベッドの春子が呼んだ。

「あ、起しちゃった？　ごめんね」

「いいえ。私、起きてた」

と、春子は言った。「輝代さんに話したいことがあるの」

輝代はベッドのそばの椅子に腰をおろした……。

22 約束

「心配ごと?」

タクシーの中で、英子は言った。

「あ……。いえ。ちょっと個人的なことで」

爽香はふっと我に返った。

「あなたは、人のことばっかり心配してるのね。でも、代りにあなたはみんなに信用されてる」

「恐れ入ります」

と、爽香は言った。「なぜか、私の周りって、人に心配かける人間が集まってくるんですよ」

「そういうものよ」

と、英子は微笑んだ。「人間、必ずしも公平に生れついてるわけじゃないわ。いつも気をつかって、くたびれてる人間と、好き勝手をして呑気《のんき》にやってける人間といる。どっちが長生きかっていえば、好きにしてる人の方が長生きするでしょうね。私みたいに」

「でも——」

「だからって、気をつかって病気になったりする人が損をしてるわけじゃないと思うの。それはね、死んだらその人の人生は終りだって思うからよ」

「——違いますか」

「私、その人のことを他の人たちが忘れずにいる間は、その人は死んでないんだと思う。好き勝手をして、他の人を泣かせて来た人は、死んでも惜しまれないでしょ。懐《なつか》しく思い出してくれる人もいない」

「そうですね」

「そういう人は、寿命の尽《つ》きたところでおしまい。でも、あなたみたいに、人のためにいつも駆け回ってる人は、死んでからも、いつまでも忘れられることがないわ」

「はあ……」

「確か、あなたの『先生』のところって、子供にあなたの『爽』の字をつけてるんでしょ？」

「河村先生ですか？　ええ、『爽子』って」

「その先生たちは、その子を見る度《たび》にあなたを思い出すだろうし、その子自身だって、大人になっても、自分の中にあなたの一部が生きてるって感じ続けるでしょう。それはあなたがずっと生きてるってことなのよ」

「分りますけど」

と、爽香は言った。「できたら、私、もう少し長生きしたいです」

英子は笑って、

「ごめんなさい。何だかあなたがもう死んじゃった人みたいな言い方しちゃったわね」

と言うと、爽香の手を軽く握った。

——タクシーは病院の前に停った。

二人が市川春子の病室へと歩いて行くと、廊下の長椅子から背広姿の男が一人立ち上った。

「栗崎さん、お久しぶりです」

もう大分髪が白くなったその男は、ていねいに頭を下げた。

「まあ、江戸《えど》さん？　懐しい！」

と、英子は声を上げた。「どうでしょ！　髪が真白《まっしろ》じゃないの。私の方が若く見えるわよ」

爽香はあわてて、

「病院ですから、小さな声で」

と、注意した。

当人は普通にしゃべっているつもりでも、何しろよく通る声をしているので、廊下に響《ひび》き渡る。

「これは私のお目付役の杉原さん。——この人はね、かつて映画のプロデューサーで、ずいぶん色々《いろいろ》名作をこしらえたのよ」

『かつて』はやめて下さいよ。まだ現役のつもりなんですから」

と、江戸という男は笑って、爽香に名刺を渡した。

「それじゃ、江戸さんの所へ話が行ったの?」

「栗崎さんの折紙《おりがみ》つきっていうんで、一も二もなく引き受けたんです。どんな子か楽しみだ」

「じっくり育ててね。それだけの価値はあると思うわよ」

「今、入院中なんですか?」

「車にちょっとはねられてね。大したことないの。——行きましょう」

と、英子はさっさと先に立つ。

ともかくスタスタと足が速い。

六十過ぎらしい江戸は、ついて行くのに苦労していた。

「——あ、爽香さん」

病室の前には、連絡を受けて片桐輝代が待っていた。

「喜美原さんは?」

「中にいます」

爽香がドアを開けると、喜美原が春子のベッドのそばの椅子にかけていた。

「やあ、どうも」

喜美原と英子が会釈し合う。

英子が江戸耕一《こういち》を紹介して、

「春子ちゃん、話は聞いた?」

と、ベッドの春子へ言った。

「はい……」

「もちろん、あなたの気持次第よ。もし、役者になりたいって気持があるのなら、この人が一から教えてくれるわ」

「でも、私……」

春子が口ごもると、喜美原が引き取って、

「やりたいと言ってたんですよ。それも、お手軽なアイドルじゃなくて、英子さんのような、本格的な女優になりたい、と言ってね」

「それなら、この人に任《まか》せておけば大丈夫」

と、英子は江戸の肩を叩いて、「でも、あなたはまだ中学生だから、ちゃんと高校へも行って。今はね、常識をしっかりわきまえないと、やっていけない時代なの」

「だから、たとえ声がかかっても、デビューは僕がOKを出してから」

と、江戸が言った。「早く人気が出すぎるのは良くない」

「長い目で見れば、この人の言う通りにした方が得なの。分った?」

春子は、返事をする代《かわ》りに喜美原の方を見た。

「心配するな」

と、喜美原は春子の手を握《にぎ》って、「——この子は、ちゃんと言われたことを守ってやり通しますよ」

「決った」

江戸が春子と握手をして、「今度ちゃんと契約書を持ってくる」

と言った。

春子の目が潤んでいる。

「——さて」

喜美原は一つ息をつくと、「私の方からの話をしてしまいましょう」

「なあに？　宝くじでも当った？」

と、英子が言ったので、病室の中に笑いが起った。

「宝くじよりは、確率が高いと思いますが」

と、喜美原が言った。「私はあと半年ほどで死にます」

——あまりに淡々と言われたので、ショックもなかった。

「——そうなの」

と、英子が言った。

「心臓ではないのです。ガンで、もう手の施《ほどこ》しようがないと言われました」

「ちゃんと、二つの病院で診《み》てもらった?」

「四つも診てもらいました」

と、喜美原は微笑んで、「これでも、かなりしつこい性質で」

「そうなの」

と、英子がもう一度言った。「私より先に行くなんて、生意気だわ」

「すみません。後のことを、ぜひ栗崎さんにお願いしたいと思いましてね。この春子が結婚するまではとても生きていられそうもないので」

春子がじっと唇をかみしめている。——おそらく、先に聞いていたのだろう。

「でも、喜美原さん」

と、英子が言った。「あなたがこの子を託《たく》していく相手なら、私じゃない。他にいるはずよ」

「分っています」

と、喜美原は肯いて、「輝代。——君にはどんなに感謝しても足りない。しかし、君はまだ二十四だ。いくら僕が図々《ずうずう》しくても、十四の子の母親になってくれとは頼めないよ」

輝代は目を伏《ふ》せて、

「私のことは心配しないで下さい」

と言った。「その内、いい人を見付けて結婚します」

「そうしてくれ」

と、喜美原が肯く。

すると――英子が笑い出したのである。

「――何かおかしいことでも?」

「本当に図々しいわね! そういうことを言うつもりなら、彼女に手をつけたりしないもんよ」

「いや、それは……」

と、喜美原が赤くなる。

「私の目は確か」

英子は輝代を見て、「この人のお腹《なか》にはあなたの子がいる」

輝代が息をのんで、

「どうしてそれを――」

と言いかけ、あわてて口をつぐんだ。

喜美原が唖然として、

「輝代……。本当か?」

「ごめんなさい!」

輝代は頭を下げた。「あなたを騙したの。ずっと――ピルをのんでると言ったけど、嘘をついてた」

「まさか……」

「あなたの病気は知ってたわ。だって——診察券をその辺に置きっ放しにしておくんですもの」

「ほらね」

と、英子は言った。「人間、普段の行いが大事なのよ」

「しかし、輝代——」

「ちゃんと私の力で育てます」

と、輝代は言った。

「僕は……畜生《ちくしょう》！　死んでたまるか！　絶対に、赤ん坊の顔を見るまで生きていてやる！」

と、喜美原は輝代を抱きしめた。

英子は肩をすくめて、

「これだから、男ってのはあてにならないのよ」


「——河村先生」

と呼ばれて、布子は顔を上げた。

「はい」

「あの……桜井君のご家族がみえました」

「分りました」

逃げるわけにはいかない。

布子は立ち上った。

学校の中は重苦しい空気に包まれていた。

静かな廊下を、布子は歩いて行った。

桜井登の自殺。——むろん、その事実はすぐに知れ渡っていた。

学校は一日、「臨時休校」となった。

校長は、何よりもまず、

「マスコミ対策が肝心《かんじん》」

と発言して、布子を失望させた。

生徒たちに対して、

「取材しようとする人間が、何か訊いて来ても、答えてはいけない」

と、校内放送で話した。

桜井登の死を悼《いた》む言葉はどこにもなかった。

「とんでもないことをしてくれた」

という思いが、口調ににじみ出ていた。

それを防げなかった布子にも、校長は冷淡だった。あれほど沢山の仕事を布子に押し付け、

「先生がいなきゃ、我が校はやっていけないんですから」

と持ち上げておいて、今は、

「頭痛がする」

と言って帰ってしまったのだ。

──布子も、責任逃れをするつもりはない。

しかし、校長の、「我が身可愛さ」という姿勢は、間違いなく生徒たちへ伝わる。

大人への失望。学校への失望。──子供たちの受ける傷は、目に見えないが、深い。

応接室のドアを開けて、布子は中へ入った。

「──担任の河村です」

と、布子は頭を下げた。「登君のこと、本当に……」

「この女だわ！」

と、母親が立ち上って叫んだ。「この女が登を誘惑したのよ！」

23　醜《みにく》い人々

「もしもし、爽香？」

今日子の声に、爽香はホッとした。

「やっと捕まえた！」

「手術があったの。――何か？」

「じゃ、疲れてるね」

爽香は〈Ｐハウス〉の図書室にいた。

浜田今日子へ、今朝から何度か電話していたのだ。

「平気よ。これから帰って寝るの」

と言って、浜田今日子は、「何かあったの？」

「先生が困ってるの」

「布子先生？　どうしたの」

「ＴＶか新聞で見なかった？　中三の男の子が自殺したって」

「中三の……。あ、担任の女性教師とどうとか——。あれが？」

「ええ、死んだ子の母親がね、布子先生を訴えるって言ってるんだって」

「そりゃ厄介ね。当人が死んじゃってるんじゃ」

「そうなの。今のところ、新聞も先生の名前は出してないけど」

「中学生を誘惑するか？　人を見てもの言ってほしいね」

「不登校の子で、先生は何とか話をしようとしてたらしいわ」

「苦労した挙句《あげく》に死なれて、しかもそんな疑いかけられて……。医者で良かった、私」

「何か先生の役に立てる、いいアイデア、ない？」

と、爽香は訊いた。

「爽香の方が得意でしょ」

「ちょっと！　友だちがいのないこと言わないでよ」

「一度会いに行くか」

今日子も、クールとはいえ布子先生は特別な存在なのだ。

「そうしよう。今、色々抱えて大変だし」

「気の毒にね。——じゃ、また連絡して」

「OK」

爽香はもう少し話したかったが、相手は医者で、大勢の患者を抱えている。

ともかく連絡がついて、少しホッとした。

爽香が受付へ戻ると、

「爽香さん」

と、他の子が言った。

「え？」

「電話があったわ」

「誰？」

「いつか、ここに来た人。感じの悪い……」

メモを見て、爽香は顔をしかめた。

あの小沢という弁護士だ。

「待ってるってこと？」

「ええ。十五分前かな。あの目の前の〈C〉で、時間ができるまで待ってるって」

会いたくはない。しかし、外の喫茶店で待っているというのでは……。

それに、またここへ来られても迷惑だ。

爽香は、

「すぐ戻るから」

と、声をかけておいて、コートをつかんだ。

すぐそこまでといっても、表は寒い。

小走りに〈Pハウス〉を出て、〈C〉へと急ぐ。

店に入ると、顔なじみのウエイトレスが、

「あ、今日は」

と、微笑みかけた。

「コーヒーね」

と言って、爽香は奥の席へ向った。

「どうも、お呼び立てして」

小沢は、いやに愛想が良かった。

「何のご用でしょうか」

爽香はコートを着たまま腰をおろして、「もうあなたとお話しすることはないはずですが」

「まあ、そうおっしゃらずに」

小沢は、どことなく荒《すさ》んだ印象があった。

コーヒーが来ると、爽香はブラックのまま一口飲んで、

「で、ご用件は？」

「市川春子の件で、担当を外されましてね」

と、小沢は言った。「役に立たん奴だ、というわけで、他の弁護士を頼むことになったんで

すよ」

「そうですか。ご苦労様でした」

小沢はちょっと苦々《にがにが》しげに笑って、

「呑気でいいですな。こっちには死活問題だ」

爽香は何も言わなかった。

爽香を「クビにしてやる」と脅迫《きょうはく》まがいのことまで言っておきながら、今度は「呑気でいい」とは――。

自分の失敗を、いつも他人のせいにして来た男なのだ。

「他にどう言えばいいんです?」

「私はね、あの連中にいやけがさしたんです。何かというと金のことばかり」

小沢は身をのり出すようにして、「私はね、決めたんですよ。あんたたちの味方になろうとね」

「――味方?」

「そう。あんたや、あのお人好《ひとよ》しの先生が騙されるのを見ていられなくってね」

「どういうことです?」

「あの市川春子ってのは、とんだ食わせ者ってことさ。あれはね、喜美原の子供なんかじゃない。確かに母親は例の女だが、他の男との間にできた子でね」

爽香は、じっと小沢を見ていた。

「——信じてないようですね」

と、小沢は渋《しぶ》い顔になった。

「そうじゃありません。でも、どうしてあなたがそれを知ってるんです?」

小沢はちょっと笑《え》みを浮かべて、

「これには、ちょっとした仕掛けがありましてね」

と、得意げに言った。「先がないと分ったとき、あの子の母親が私に相談を持ちかけて来たんですよ」

「あなたに?」

「共通の知り合いがいましてね。で、この子がちゃんと生きていけるように、喜美原さんの子だということにできないかというわけです。——それは無茶《むちゃ》だと言ったんです。当然相手は本当に自分の子かどうか確かめようとする。今はすぐ分りますしね」

「それで?」

「しかし、母親が必死で頼むもんでね。私も協力することにしたんです。でも、たとえ喜美原さんが春子を自分の子だと信じたとしたら、今度は喜美原さんの親族が黙っていない。どういうことになるか、目に見えてますからね。そこで——」

「分りました」

爽香は肯いて、「喜美原さんの親族の側につくことにしたんですね」

「まあ、親族がDNA鑑定でも要求すれば、実の親子でないことはすぐ分る。勝負ははっきりしてますからね」

「でも、そのときは春子さんはどうなるんです？　亡くなった母親との約束は？」

「死んじまった人間に義理立《ぎりだ》てしたって始まらない。そうでしょ？　春子のことは、放り出したりはしません。まあ、高校を出るくらいまでは、そういう子の入る施設もありますしね」

「喜美原さんは、春子さんを娘だと信じてますよ」

「騙されるままにしといちゃ可哀そうじゃありませんか。しかし、私から話しても、喜美原さんは素直に聞いちゃくれないかもしれない。そこで、あなたにお願いしたくて、こうしてやって来たんですよ」

爽香は、ゆっくりとコーヒーを飲んだ。——その間に考えをまとめようとしているのだ。

小沢の愛想笑いの裏には、まだ何か隠されているように思えた。

「——分りました」

「引き受けていただけますか」

「二、三日、時間を下さい。こちらから連絡します」

爽香の言葉に、小沢はホッとした様子で、

「いや、助かりました！　感謝しますよ」

と、何度もくり返し礼を言った。

——爽香は、ちゃんと自分のコーヒー代を、消費税分も支払ってから、〈Pハウス〉へと戻ったのだった。

「——爽香さん」

受付の子が手招《てまね》きして、「良かった。田端社長からお電話」

「ありがとう」

席へ小走りに戻り、パッとコートを脱ぐと、「お待たせしました」

「何だ、声を弾《はず》ませてるな」

と、田端が笑って、「そんなにあわてなくてもいい」

「今、ちょっとサボってまして」

と、爽香は言った。「何かご用でしょうか」

「うん。この間、君に話した新しいプロジェクトのことだ。憶えてるだろ?」

「もちろんです」

「その準備会を開く。まだ正式な発足《ほっそく》じゃないが、発足のための段取《だんど》りを決めるんだ。出席してくれるね」

いやとは言えない。

「私でよろしければ」

「明日、午後二時に本社へ来てくれ。僕の所へ顔を出してくれたら、一緒に行くよ」

「はい」

「これはまだ社外秘《ひ》だ。そこの同僚にも口外しないでくれ」

「分りました」

爽香はそう答えて、「――あの、お忙しいところ、申しわけありませんが」

「何だい？」

「ご相談したいことがあるんです」

と、爽香は少し声をひそめた。

受付の子は来客の相手をしている。

「君が？　珍しいね」

「お時間のあるときに。――いつならいいでしょうか」

「そうだな。これから会議だ。夜までかかるけど」

「今日でなくても……」

「早い方がいいんだろ？」

「それはまあ……」

「じゃ、今夜、食事しよう」

「でも会議が――」

「僕は社長だ。僕が『終り』と言えば終り」

爽香はつい笑ってしまった……。


田端は、確かに「終り」と言ったのだろう。

約束通り、午後七時にはそのホテルのレストランに現われた。

ただし、田端は一人ではなかった。

「爽香さん、お久しぶり」

と、田端真保は言った。

将夫の母親である。

「ごぶさたしています」

と、爽香は立ち上って挨拶した。

この母親は、なぜだか爽香のことを気に入っている。

「ともかくテーブルへ行きましょう」

と、真保は言った。

――食事の半ばまでは、専《もっぱ》ら真保が新しいプロジェクトの説明をしていた。

これは覚悟を決めておかなくては、と爽香は思った。〈G興産〉の社員として、新しいプロジェクトに加わることは避けられそうになかった。

一方で、爽香自身、その仕事に魅力を感じているのも事実なのである。

「——君の番だ」

真保の話が一段落すると、田端が言った。「相談したいことって？」

「まあ珍しい。爽香さんが将夫に相談？」

「それが母親の言葉？」

と、田端が苦笑する。

「実は——」

爽香は、デザートが出るころまで時間をかけて、喜美原治と市川春子を巡る出来事を、順序立てて説明した。

「また複雑な話だな」

「喜美原治！　懐しいわ。いい声なのよね」

真保の関心は専ら喜美原の歌声の方にあるようだった。

「小沢という弁護士が、どうしても信用できないんです」

と、爽香は言った。「今になって喜美原さんの味方をするというのも、うさんくさくて……。何か裏がありそうな気がしてならないんです」

「それで僕に相談？」

「私の身近に、財産の相続でもめるような人、見当らないんですもの」

「それにしても……。母さんはどう思う？」

爽香は、真保が少し遠くを見るような目でいるのを眺めた。息子の言葉が聞こえているのかどうか——。

「私ならね」

と、真保は少し唐突《とうとつ》に言った。「聞いたことがあるわ。七十過ぎの父親が、二十いくつの女に熱を上げて、結婚すると言い出した。怒ったのは、遺産を相続しようとあてにしてた子供たちで、何としても、その若い女に金はやらないと言ってね」

「で、どうしたんですか？」

「父親に妙《みよう》な薬をのませて、錯乱《さくらん》状態だからと強引に入院させたの。後は薬漬《つ》けにして、禁《きん》治産者《ちさんしや》の申し立てをした。ひどい話でしょ？」

「どうなったんですか、それで？」

「父親と結婚するはずだった女が、警察の偉い人の娘でね。不審《ふしん》な点があるというんで調査して、真相が分ったのよ。——無事に退院して、彼女と結婚。今は二歳の子供もいるわ」

「良かったですね」

「下手をすれば、死んでいたわよ。——人間、お金が絡むと、品性を失う連中が沢山いるわ」

爽香は少し考えていたが、

「ありがとうございます。今のお話で、何だか分って来たような気がして。——ちょっと失礼して、電話して来ます」

爽香は、急いで席を立つと、レストランを出て、ロビーの公衆電話へと駆けて行った……。

24　孤独

「幸《さいわ》い、学校も間もなく冬休みに入るし」

と、校長が言った。

幸い？　何が「幸い」なのかしら？

布子は校長室で、校長の机の前に身じろぎもせずに立っていた。

「こういうことは、何より時間がたって、人々の記憶から薄れるのを待つのが一番。冬休みに入る前に、辞表を出して下さい」

校長の言葉に、布子は耳を疑った。

「――辞めろということですか。私は、言われるようなこと、何一つ覚えがありません」

「河村先生」

と、校長は苦笑して、「これだけ世間の話題になれば充分でしょう」

「間違った報道の責任を、私が取らなくちゃならないんですか」

「先生。――私もね、あの母親がヒステリーを起して騒いでいるように、先生が中学生の男の子を誘惑したなどとは思っていませんよ。しかし、休みの日に、生徒を自宅へ引き入れたのは事実なんでしょう？」

「『引き入れた』なんて……。学校へ来ようとしない子と、少しでも触れ合う機会を作ろうとしただけです。現《げん》に、その後、桜井君は登校して来るようになりました」

と、布子は言った。

「そして死んでしまった」

校長は冷やかすように言って、「先生はそれを防ぐことができなかったんですよ。それをどう考えておられるんです？」

この言葉を持ち出せば、布子が沈黙せざるを得ないと分っているのだ。

卑怯なやり方だ。しかし、布子は、こんな不毛《ふもう》なやりとりに疲れ切っていた。

「──分りました」

と、布子は言った。「辞表を出せばいいんですね」

「そうです。その内、みんな忘れていく」

忘れる。──一人の生徒の死。その原因も、動機も、すべてが忘れられていく。

それが学校の望んでいることなのだ。

「──失礼します」

布子が校長室を出ようとすると、

「河村先生」

と、校長が呼び止めた。「この件に関しては、マスコミに一切洩《も》らさないようにして下さい」

布子は少し間を置いて、黙って後ろ手にドアを閉めた。


布子は、家の少し手前でタクシーを降りた。

──マスコミのカメラを恐れて、このところ夜遅めにタクシーで帰ることが多い。

もうそろそろ、カメラを心配しなくてもいいだろう。何しろ、世間では毎日山ほど事件が起きているのだ。

家までの数十メートル、北風に首をすぼめながら足を速めると──別のタクシーが一台、家の前に停った。

布子はハッとして、傍《かたわら》の塀《へい》に身を寄せた。隠れなくても、向うからは見えないだろう。

夫と、早川志乃の二人からは。

「──じゃ、これで払っといて」

タクシーを降りた河村が、中の志乃へお金を渡している。

「今度はいつ会える?」

志乃のせつなげな声が、布子の耳にも届いた。

「ちょっと──家内も大変だしな。学校も冬休みに入る」

「そんなの、私と関係ないわ」

「そりゃそうだけど……。明日でも電話するよ」

「待ってるわ」

「じゃあ」

タクシーが走り去るのを見送って、河村は手を振った。

そして、急ぎ足で家の中へ。

布子がまだ帰っていないのを知って、ホッとするだろう。

布子はしばらく風に吹かれていた。

自分を支えてくれていたつっかえ棒が外れてしまったようだ。

今、一番支えを必要としている布子の気持を、河村が知らないはずがない。それなのに——

早川志乃と会うことさえ、やめられないのか。

布子は、このとき初めて、学校へ辞表を出そうと決めた……。

布子はなお、しばらく寒さの中に立っていた。

だが、布子の心の中は、もっと凍えるように寒々《さむざむ》としていたのだ……。

「——ただいま」

布子が玄関を上る。

「お帰り。——遅かったな」

と、河村は言って、「顔が真青だぞ」

「少し歩いて来たの」

「この寒いのに？　待ってろ。今、風呂を熱くする」

河村は急いで浴室へ行って、熱いお湯を一杯《いっぱい》に出した。

何か、少しでも布子のためにしてやりたかったのだ。——罪滅しか？

ちゃんと子供たちを寝かしつけてから、早川志乃と会って来た。

今はそれどころではない。布子が辛い立場に立たされていることを、河村も心配していた。

しかし、早川志乃も、それを分っていて、河村を誘ってくる。

志乃が、河村の子を身ごもっていること。その事実は河村をクモの糸のように絡めとって身動きできなくさせていた。

今、そんなことを布子に知られたら……。

河村は、結局、志乃をなだめつつ、嵐が頭上を通り過ぎていくのを、じっと待っているのだった。

「もう大丈夫だ。お風呂に入って暖まれよ」

「ええ、ありがとう」

布子も疲れていた。夫を責めて、自分自身も傷つくような思いをしたくなかった。「もう遅いわ。あなた、先に寝てて」

「ああ……」

学校を辞めるということも、今夜は話したくなかった。

「——布子」

河村が呼び止めて、「おやすみ」

と言った。

「おやすみなさい……」

ごく当り前のように、二人は言葉を交《か》わしたのだった。

病室のドアが開くと、小沢弁護士の顔が覗いた。

「お入り下さい。どうぞ」

と、爽香が言った。

「はあ……」

小沢は少し戸惑《とまど》った様子で中へ入ると、「どうも、喜美原さん」

長椅子に、喜美原と片桐輝代が座っていた。ベッドは空《から》だ。

「——患者は今、検査に行っています」

と、爽香が言った。「色々お話しするには、この方がいいかもしれませんね」

「まあ、私の方はどっちでも……」

小沢はコートを脱いで、「お呼びにあずかって」

「いくつか報告することがあってね」

と、喜美原は言った。「あんたが代表している連中に伝えてほしい」

「といいますと?」

「まず、私は輝代と正式に結婚した。入籍もすんでいる」

「それはおめでとうございます」

「第二に、春子を我々の養子にした」

「それは――」

「何か言いたいことでも?」

「お気の毒ですが……。あの子はあなたの子じゃありませんよ」

「分ってます」

と、輝代が言った。「あの子の方から、私に本当のことを打ち明けてくれました」

小沢の顔がこわばった。

「正気ですか? あの子は喜美原さんの財産目当てに――」

「それはあなたの方でしょう、小沢さん」

と、爽香が言った。「喜美原さんの曲の権利を、あの子に取られるのが怖いんでしょ?」

「縁もゆかりもない子に継がせる気ですか? それよりも、血のつながった人が継ぐのが筋《すじ》でしょう」

「春子さんも継ぎません」

「何ですって?」

「――このほど、〈城ヶ島の会〉というのを作ってね」

と、喜美原が言った。「私の曲の権利はそこへすべて譲《ゆず》る。私の死後は、その会で著作権は管理する」

小沢の顔から血の気がひく。

「そんな……。馬鹿げてますよ!」

「私は若いんです」

と、輝代は言った。「子供を産んだ後も働けますし、春子さんも、学校へ通いながら俳優になる訓練を受けます。二人とも、先生の曲が広く愛されれば、それで満足なんです」

小沢は爽香の方をにらんで、

「あんたの入れ知恵だな!」

と言った。

「世の中には、お金だけにこだわらない人もいるっていうことです」

と、爽香は言った。「これでお分りでしょう。お引き取り下さい」

小沢はしばらく怒りに顔を真赤にして立っていたが、やがてコートをつかむと、

「憶えてろよ。――人間なんて金次第なんだ。その内、思い知るさ」

と、捨てゼリフを残して出て行った。

「ありがとう、爽香さん」

と、輝代が言った。

「いいえ、奥さん」

爽香の言葉に、輝代は嬉しそうに頰を染めた。

「――お時間です」

と、病室のドアが開いて、看護婦が顔を出す。「喜美原さん、よろしいですか？」

「ええ。春子は？」

「もう検査がすんで、下のロビーでお待ちですよ」

「じゃ、行こうか」

喜美原が輝代を促《うなが》した。

「ええ、あなた」

二人は腕を組んで、病室を出た。

――一階のロビーには、大勢の入院患者が集まっていた。

並べた椅子には、立っているのが辛い、お年寄やリハビリ中の人が座り、その周囲を溢《あふ》れるほどの人が埋《う》めている。

喜美原がロビーの中央に進み出ると、盛《さか》んな拍手が起った。輝代は用意された電子ピアノに向った。

「皆さんが一日も早く退院されますように」

と、喜美原は言って、「やさしい看護婦さんに惚れたから、もっといたい、という方は別ですが」

笑いと拍手が起った。

看護婦たちも、手を止めて患者たちの後ろから覗いている。

「では、初めに〈城ヶ島の雨〉を……」

爽香は、喜美原の力強い歌声がロビーに響き渡るのを聞きながら、そっとその場を離れた。

——車椅子に座った春子が、爽香に気付いて手を振った。

その笑顔は、ごく普通の十四歳の少女のものだ。

病院を出ると、爽香は冷たい風に首をすぼめた。

今年も終ろうとしている。——みんなそれぞれに問題や悩みを抱えつつ、それでも一年は過ぎていくのだ。

爽香は歩き出しながら、ふとケータイを取り出して、明男のケータイへかけてみた。

もちろん、今も仕事中だろうが、もしかしてお昼ご飯でも食べているか、と思ったのである。

——お話し中か。

「後でかけよう」

そう呟くと、爽香は地下鉄の駅へと階段を下りて行った。

切符を買って改札口へ行きかけると、タブロイド判の夕刊紙の大げさな見出しの文字が目についた。

〈花房ルミ子に新しい恋の噂！〉

本当かどうか。——しかし、少なくとも前の割り切れなかった気持が吹っ切れたのは事実のようだ。

爽香は何となく気分が軽くなって、駅のホームへと階段を下りて行った。

ホームには昼間の割《わり》に乗客が多い。

乗り換え駅でもあるからだろう。

〈電車が来ます〉

という電光掲示板の文字が点灯した。

暗いトンネルの奥から、ゴーッという唸《うな》りが近付いてくる。

これで帰れば、打ち合せに間に合う。

電車のライトが見えた。爽香は〈乗車位置〉の表示に合せて少し移動した。

電車がホームへ入って来る。

ガシャン、と何かが落ちる音。振り向くと、ケータイを落とした女子高生が、

「どこ見て歩いてんのよ！」

と、文句を言った。

その相手は——小沢だった。

爽香を見た目が、まともではなかった。

電車がやってくる。

小沢が両手を突き出して、爽香へ向って来る。——電車の前へ突き落とそうとしている。

爽香はほとんど反射的にホームへ伏《ふ》せていた。

小沢は爽香の足につまずいて前のめりによろけると、吸い込まれるように電車の前へと落ちて行った。

悲鳴が上った。

初出誌「エキスパートナース」（照林社刊）二〇〇〇年九月号〜二〇〇一年八月号

解説

円堂《えんどう》都司昭《としあき》
（文芸評論家）

本書『利休鼠のララバイ』は、杉原爽香を主人公とするシリーズの第十四作です。赤川次郎ファンなら既にご承知でしょうが、このシリーズは毎年一冊ずつ刊行され、登場人物も一歳ずつ年齢を重ねていきます。第一作『若草色のポシェット』（八八年）で十五歳だった爽香は、本書で二十八歳。明るい性格は変わらないけれど、かつての無邪気な少女も毎年事件に遭遇しながら、いろいろ悩みを抱える大人の女性へと変化してきました。——つまり、爽香は成長しているわけです。

「三毛猫ホームズ」の片山刑事、「幽霊」シリーズの永井夕子と宇野警部、「三姉妹探偵団」の佐々本三姉妹など、赤川氏は多くの人気者を送り出してきました。しかし彼らは、シリーズもののお約束で、歳をとって成長することはありません。日常とは違う永遠の時間に住んでいる点で、彼らは神話の登場人物に似ており、不変の存在なのです。

ならば、探偵役が年齢とともに成長したらどうなるか？　それが爽香シリーズです。

他のシリーズでは、事件周辺の人間関係がいくら変化しても、探偵役といつもの仲間たちの関係は安定したままです。でも、爽香シリーズでは、主人公周辺の人々の状況も変化します。過去を振り返ると、父の病、兄の浮気や借金など、家族でも問題が続出。こうした中で、爽香は大人になりました。彼女にとって最大の変化は、明男との仲でしょう。出会いと別れの後に、殺人事件で明男が服役。釈放後にようやく彼と結婚したのですから。

一般的にシリーズものでは、探偵役が犯人のその後に興味を持つことはなく、次作では別の事件に没頭します。一方、爽香シリーズでは別の事件が起こりつつ、明男のその後も描かれます。明男を犯人と見抜いた爽香も、罪を償った彼と歩みながら成長します。

では、爽香本人は成長を、どのように考えているのか？『緋色のペンダント』(九三年）には、次のような記述がありました。

〈かつて、爽香は学生で、子供で、そして今日子や明男の「お友だち」というだけだった。それが今は、病気がちな両親のことを心配する娘で、兄の妻に対しては小姑《こじゅうと》であり、その子供に対しては「叔母《おば》さん」である。〉〈次から次へと「立場」がふえて行く。これが「大人になる」ということなのである。〉

なるほど。爽香は今、高齢者向けマンションに勤めていますが、本書では別の高齢者向けプロジェクトへの参加を打診されます。新しい「立場」が待っているのです。

しかし、大人になって「立場」がふえれば、逆に「立場」をなくす危険もふえます。父は病気により、親会社での「立場」を失いました。また、「立場」を得たくて、あるいは「立場」

を失いたくなくて犯罪に手を染め、結局「立場」が崩壊する人々を、爽香は数多くみてきました。歳をとるのは、「立場」がふえる足し算だけではありません。突然、引き算に襲われることだってあるのです。このことは、爽香もよく知っているでしょう。

『利休鼠のララバイ』では、老歌手の相続問題が、主筋になっています。でも、シリーズを初めから読み、登場人物への感情移入を強めてきた人は、河村夫妻の「立場」の危機に、主筋以上にハラハラするかもしれません。

河村太郎は、爽香を必ずサポートしてくれる勇敢な刑事でした。彼の妻・布子は爽香と明男の中学時代の恩師で、卒業後も相談相手でした。このシリーズでは爽香の人間関係も変化すると書きましたが、二人との関係は比較的安定していました。彼らはいつしか、爽香を見守るもう一組の父母のようになっていました。彼らも歳はとるけど、一時期は他シリーズのレギュラーみたいに神話的で不変な、一種の守り神に近づいた印象でした。

ところが、本書での河村夫妻は頼りない、普通の人間です。前作『うぐいす色の旅行鞄』(二〇〇〇年)で胃を切除手術した河村は、捜査からはずれ事務をしています。彼は刑事としての自分を見失って浮気に走り、布子を悩ませます。その布子は生徒の自殺を止められなかったことで教師の自信をなくし、辞職を決意します。二人とも大人として他人を思いやる余裕をなくし、逆に爽香に甘えてしまう状態です。夫妻の今後が心配ですが、それについては次作を待たねばなりません。

そして、私は考え込んでしまったのです。年齢を重ねるって、いったい何だろう？　と。

爽香が二十八歳になったということで、あるテレビ番組を思い出しました。それは友人のできない人を募集して、助言する企画でした。私が見たのは、二十八歳ＯＬの例です。

まず、ディレクターの面接がありました。彼女の受け答えは自然で明るく、引っ込み思案にはみえませんでした。友人のできない理由がわかりません。番組側は、彼女の数少ない友人三人を呼んで、話を聞きました。

その三人は互いに面識がなかったのですが、同席すると妙なことになりました。二十八歳ＯＬの一番若い友人である二十二歳学生は「彼女は二十五歳だと聞いた」そうです。三十五歳ＯＬが「私は三十三歳だと聞いたけど」というと、三十九歳主婦は「私には三十八っていってたわ」。問題の彼女が三人に話したプロフィールは、バラバラだったのです。ディレクターは彼女に会い、免許証を見せてもらいました。記されていたのは、四十一歳。

「自分に自信がないんです。だから本当のことがいえなくて、嘘をいっちゃうんです」

彼女は泣き崩れました。番組は、彼女が三人に本当のことを打ち明け、真の友情の始まりを予感させて終わりました……。

どう思いますか？　人一倍、若くみられたい願望が強かったんだろう。騙される方もお人好しだ。他の人は嘘に気づいて彼女から離れたんだろうに。――そのように揶揄する感想は、あるでしょう。私も、そう思いました。

でも、違う見方もできます。彼女は若くみられたいというより、自分が実年齢ほど成長できていないことを悔いていた。だから、自分の精神年齢で演技できそうな下の年齢を告げ、自分の幼さと釣り合いそうな若い人を求めた。本心では若くみられたいなんて思っていなくて、成長したかったのではないか。

そう考えると、別の感想も出てくるでしょう。歳相応の行動をしていると胸をはれる人は、あまりいないはずです。彼女を簡単に馬鹿にはできません。毎年一歳ずつ足し算されるからといって、きっちり一歳分の精神的成長が訪れるわけがない。一人の中には、幼さ、大人らしさ、老成がまぜこぜになっています。年月を経るにつれ、それらの比率が変わっても、個々の要素が完全になくなることは、(精神が健康なうちは) まずないでしょう。

私が爽香シリーズで優れていると思う点は、登場人物の年齢に毎年一歳ずつ足し算していく機械的趣向なのに、機械的に処理できない精神年齢の不思議を押さえていることです。本書では、河村夫妻の年齢が退行したような狼狽ぶり、老女優・栗崎英子の少女的な悪戯心などにそれが読みとれます。また、爽香には気の回し方に老成したところがある反面、今でも子供っぽい軽口をいいます。

ところで、爽香シリーズには「言ってやった」という言い回しがよく出てきます。

〈杉原成也もすっかりご機嫌である。「お前も、たまにゃ気のきいたことをやるじゃないか」

「誉めてるつもり?」

と、爽香は言ってやった……。〉(『亜麻色のジャケット』九〇年)

このように使います。「言い返した」というほどギスギスした強さはなく、どこか親しみのこもった軽口が「言ってやった」です。この言い回しは、快活で物怖《ものお》じしない赤川ミステリーの若いヒロインなら、爽香以外でも似合いそうです。でも、成長する爽香でしか表現できない領域があるのです。

〈河村は、またムッとした様子で、

「素直じゃない奴だな、全く」

と、言った。

「だからこそ、見付けたんですよ、あのマンションを」

と、爽香は言ってやった。〉(『若草色のポシェット』)

〈「どっちにしても迷惑です」

と、言ってやった。「夫婦ゲンカのグチを持って来られるのも」

河村は笑って、

「悪いなあ。それじゃ頼むよ」〉(『利休鼠のララバイ』)

引用は第一作と最新作から。前者はまだ爽香と河村が出会ったばかり。中学生なのに事件にかかわる爽香を、河村は生意気と思っています。でも、軽口を交わせるくらいに、二人は打ち解けつつあります。後者は、河村が酔った浮気相手を爽香宅に泊めてもらう場面。自分が仲人をした若夫婦宅に浮気相手を連れてくる彼の行動は駄々っ子のようだし、叱られるのは当然です。でも、爽香は「言い返した」のではなく「言ってやった」のであって、河村に対する親愛は今でもあるのです。

十三年を挟んだ二つの場面は、大人＝河村vs.子供＝爽香の構図から、子供＝河村vs.大人＝爽香に変化しています。それでも、「言ってやった」という言い回しに象徴される二人の心の通じ合いは、変わっていません。変化と変わらなさが、同時に現れています。

爽香シリーズに関しては、一年ごとの変化を書いていることが、まず評価されます。しかし、ここまでみてきたように、人間が機械的に変化するわけではないこと、年月が経っても変わらない何かがあることも、作者は視野に入れています。神話的な不変とはまた別の、人間の変化の中における変わらなさをも描いているのです。そして、変化と変わらなさをともに含んで続いていく人間の時間を追い、その愚かさをも見つめる（「二十八歳ＯＬ」が見つめ損なった時間です）。年齢を重ねることの不思議を優しい眼ざしで綴るシリーズの今後を、期待しましょう。

光文社文庫

文庫オリジナル／長編青春ミステリー

利《り》休《きゆう》鼠《ねずみ》のララバイ

著者　赤《あか》川《がわ》次《じ》郎《ろう》

2001年9月20日　初版1刷発行
2020年7月10日　4刷発行

発行者　鈴木広和
印刷　凸版印刷
製本　ナショナル製本

発行所　株式会社　光文社
〒112-8011　東京都文京区音羽1-16-6
電話　(03)5395-8149　編集部
8116　書籍販売部
8125　業務部
振替　00160-3-115347

ISBN978-4-334-73197-7　Printed in Japan

赤川次郎ファン・クラブ

三毛猫ホームズと仲間たち

入会のご案内

会員特典

★会誌「三毛猫ホームズの事件簿」(年4回発行)
会誌の内容は、会員だけが読めるショートショート(肉筆原稿を掲載)、赤川先生の近況報告、先生への質問コーナーなど盛りだくさん。

★ファンの集いを開催
毎年夏、ファンの集いを開催。賞品が当たるクイズ・コーナー、サイン会など、先生と直接お話しできる数少ない機会です。

★「赤川次郎全作品リスト」
600冊を超える著作を検索できる目録を毎年5月に更新。ファン必携のリストです。

ご入会希望の方は、必ず封書で、〒、住所、氏名を明記の上、84円切手1枚を同封し、下記までお送りください。(個人情報は、規定により本来の目的以外に使用せず大切に扱わせていただきます)

〒112-8011
東京都文京区音羽1-16-6
(株)光文社　文庫編集部内
「赤川次郎F・Cに入りたい」係

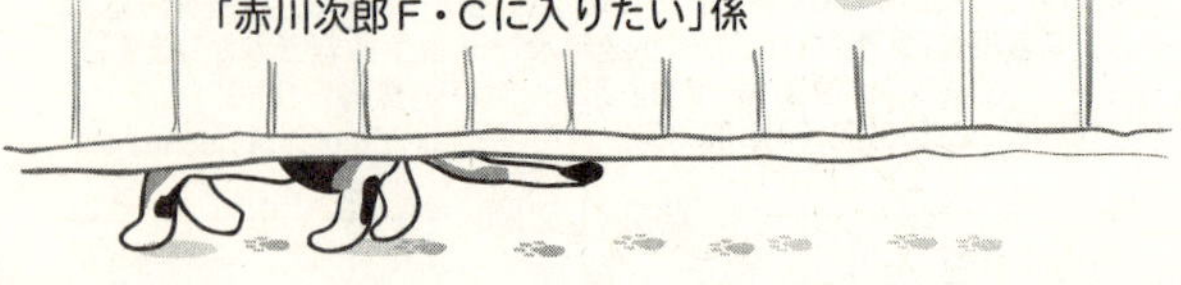